AS MULHERES FRANCESAS NÃO ENGORDAM

Comadre,

Para as poucas horas
de sono de Miguel
(se o galego deixar...)
Feliz Natal!

Beijos.
Dindo
24.12.06

MIREILLE GUILIANO

AS MULHERES FRANCESAS NÃO ENGORDAM

UMA LEITURA DIVERTIDA,
QUE MOSTRA COMO
COMER COM PRAZER E...
SEM CULPA!

TRADUÇÃO
MARISA MURRAY

6ª EDIÇÃO

ELSEVIER

EDITORA CAMPUS

Do Original:
French Women Don't Get Fat
Tradução autorizada do idioma inglês da edição publicada por Alfred A. Knopf.

Editoração Eletrônica: Estúdio Castellani

Copidesque: Shirley Lima da Silva Braz

Revisão Gráfica: Edna Cavalcanti e Tathyana Viana

Projeto Gráfico
Elsevier Editora Ltda.
A Qualidade da Informação.
Rua Sete de Setembro, 111 – 16º andar
20050-006 Rio de Janeiro RJ Brasil
Telefone: (21) 3970-9300 FAX: (21) 2507-1991
E-mail: *info@elsevier.com.br*
Escritório São Paulo:
Rua Quintana, 753/8º andar
04569-011 Brooklin São Paulo SP
Tel.: (11) 5105-8555

ISBN 13: 978-85-352-1679-0
ISBN 10: 85-352-1670-0
(Edição original: ISBN 1-4000-4212-7).

Central de atendimento
Tel: 0800-265340
Rua Sete de Setembro, 111, 16º andar – Centro – Rio de Janeiro
e-mail: *info@elsevier.com.br*
site: *www.campus.com.br*

CIP-Brasil. Catalogação-na-fonte.
Sindicato Nacional dos Editores de Livros, RJ

G974m

Guiliano, Mireille, 1946-
Mulheres francesas não engordam : uma leitura divertida, que mostra como comer com prazer e- sem culpa! / Mireille Guiliano ; tradução de Marisa Murray. – Rio de Janeiro : Elsevier, 2005 – 6ª Reimpressão.

Tradução de: French women don't get fat
ISBN 85-352-1679-0

1. Dieta de emagrecimento. 2. Mulheres – Saúde e higiene – França. 3. Hábitos alimentares – França. 4. Nutrição – Aspectos psicológicos. I. Título.

05-0599. CDD – 613.25
CDU – 613.24

O que é mais importante do que uma refeição? Até o menos apreciador, seja homem ou mulher, por toda a parte, não encara a implementação e o progresso ritual de uma refeição como uma prescrição litúrgica? Será que a civilização não está aparente nessas preparações cuidadosas que consagram o triunfo do espírito sobre um apetite voraz?

Valéry

SUMÁRIO

PREFÁCIO

Seja qual for o estado das relações franco-americanas – temos que admitir que ficam um pouco balançadas de tempos em tempos –, não podemos perder de vista as grandes conquistas da civilização francesa. Até agora, reconheço humildemente, um glorioso triunfo continua ainda desconhecido, embora se trate de uma verdade antropológica básica e familiar: as mulheres francesas não engordam.

Não sou médica, fisiologista, psicóloga, nutricionista ou qualquer tipo de "ista" que ajude ou estude profissionalmente as pessoas. No entanto, nasci e fui criada na França e, com dois bons olhos, venho observando as francesas por um bom período. Além do mais, eu como muito. Como em toda a regra, podemos encontrar exceções, mas, de um modo geral, as mulheres francesas fazem como eu: comem o que querem e não engordam. *Pourquoi?* (Por quê?)

Nas últimas décadas, as americanas têm feito grande progresso em entender a capacidade francesa de se livrar da culpa em relação à comida e à bebida. O entendimento cauteloso do "Paradoxo Francês", por exemplo, tem enviado incontáveis pacientes que sofrem do coração e entusiastas do bem-estar a lojas para comprar garrafas de vinho tinto. Mas, por incrível que pareça, a sabedoria do modo de comer e de viver francês e, em especial, o poder incrível das francesas em permanecerem esbeltas ainda continuam meio incompreensíveis e, mais ainda, pouco explorados. Tendo a mim mesma como prova viva, venho aconselhando com sucesso dúzias de americanas ao longo dos anos, incluindo algumas que vieram trabalhar comigo na Clicquot, Inc., na cidade de Nova York. Também já falei para milhares sobre alguns aspectos deste assunto em palestras. Eu vinha sendo freqüentemente provocada por amigos americanos e sócios no trabalho: "Quando vai resolver escrever o livro?" Bem, *le jour est arrivé!* (O dia chegou!)

Será que se trata apenas de Natureza? Será que a lenta roda da evolução teve tempo suficiente para criar um discreto gene de mulheres esbeltas? *J'en doute* (Duvido). Não, as francesas têm um *sistema*, seus *truques* – uma coleção de artimanhas bem testadas. Embora tenha nascido lá, vivendo feliz na infância e mesmo mais crescida fazendo o que minha *maman* me ensinara, em um dado momento da minha adolescência perdi o rumo. Na América, como aluna de intercâmbio, sofri uma catástrofe para a qual estava totalmente despreparada: uma catástrofe de dez quilos. Fui lançada em um desespero para o qual tinha que achar uma saída. Felizmente tive ajuda: um médico de família que ainda hoje chamo de Dr. Milagre. Ele me levou a redescobrir minha hereditária sabedoria gastronômica francesa e a recuperar minha antiga forma. (Sim, esta também é uma história americana, uma parábola de queda e redenção.)

Tenho vivido e trabalhado na América a maior parte de minha vida (gosto de acreditar que incorporo as melhores partes de ser americana e de ser francesa). Mudei-me para cá alguns anos depois da Universidade, trabalhei como tradutora da ONU, depois para o governo francês, promovendo comida e vinho. Casei-me com um americano maravilhoso e, por um acaso, fiz carreira na vida corporativa. Em 1984 dei o salto que ainda hoje me permite viver em duas culturas. A venerável Casa de Champanhe Veuve Clicquot, fundada em 1772, com ousadia, abriu uma subsidiária americana para lidar com a importação e o marketing do Champanhe Veuve Clicquot e outros vinhos importantes. Como primeira contratada, imediatamente tornei-me a mulher mais bem-sucedida na equipe desde Madame Clicquot, que morreu em 1866. Hoje sou CEO (Chief Executive Officer) e diretora do Champanhe Veuve Clicquot, parte dos artigos de luxo do grupo LVMH.

Durante todo este tempo, continuei a praticar o que a maioria das mulheres francesas faz sem pensar duas vezes. E os perigos que enfrentei durante anos agora estão bem acima da média. Sem exagerar, meu trabalho requer que eu coma em restaurantes por volta de trezentas vezes por ano (trabalho árduo, sei bem, mas alguém tem que fazê-lo). Estou nisso há vinte anos e nunca sem um copo de vinho ou champanhe ao lado (trabalho é trabalho). São refeições completas: nada de apenas uma salada e água mineral para mim. No entanto, repito, não estou acima do peso nem com problemas de saúde. Este livro destina-se a explicar como faço e, mais importante, como você também pode fazer. Aprendendo e praticando a maneira como as mulheres francesas tradicionalmente pensam e agem em relação à comida e à vida, você também pode realizar o que parece impossível. Qual o segredo? Primeiro, uma palavrinha sobre o que não é.

Muitas de nós têm dupla jornada, trabalhando arduamente dentro e fora de casa mais do que a maioria dos homens possa sequer imaginar. Além do mais, temos que encontrar a maneira de permanecer saudáveis enquanto tentamos manter uma aparência que nos agrade. Mas não podemos deixar de reconhecer: mais da metade das mulheres não pode manter um peso estável e saudável mesmo com todas as privações auto-infligidas. Sessenta e cinco por cento das americanas estão acima do peso e os livros mais rapidamente vendidos são livros de dieta, a maioria deles agora escrita como manuais de bioquímica. Não importa quantos apareçam, há sempre dez mais a caminho. Será que a tecnologia da dieta está realmente progredindo tão depressa quanto a da publicidade? De qualquer maneira, a demanda persiste. Por quê? Por que as maravilhas de milhões de exemplares não põem um ponto final às nossas preocupações? Simplesmente em razão de um extremismo insustentável.

A maior parte dos livros de dieta está baseada em programas radicais. Tirando um breve interlúdio Jacobino no século XVIII, o extremismo nunca foi o jeito de ser dos franceses. No entanto, a América gravita em direção a diferentes filosofias, regras rápidas e medidas extremas. Em dietas, como em outros casos, dá certo por um tempo, mas não são maneiras de viver. Você está destinada a sair de sua zona, cair de sua pirâmide e perder a conta de suas calorias. E por que não? *C'est normal!* Não ajuda em nada o fato de que uma prescrição extrema é geralmente contestada pela próxima a ganhar as atenções. Quem não se lembra dos dias de alto carboidratos? Ou dos dias de grapefruit? Agora é tudo gordura e proteína e temos que fugir dos carboidratos como o diabo, da cruz; antes, os produtores de laticínios eram os piores inimigos; agora, seus produtos são as únicas coisas que podemos comer. Vinho, farelo, carne vermelha. O princípio básico parece ser o seguinte: se você se entediar com um grupo de comida, eventualmente vai perder o interesse de comer e os quilos vão desaparecer. Em alguns casos isso acontece. Mas e depois que parar com este programa radical? Por isso, *attention*! Abandone o livro de dieta! Você não precisa de uma ideologia ou de uma tecnologia. Você precisa daquilo que as francesas têm: uma relação balanceada e saudável com a comida e com a vida. Finalmente, o golpe de misericórdia contra os programas extremos: a total falta de atenção para com a individualidade dos metabolismos. Escritos na sua maior parte por homens, raramente reconhecem que a fisiologia das mulheres é profundamente diferente. E o metabolismo de uma mulher muda com o tempo; uma mulher de vinte e cinco anos, com alguns quilos a perder, enfrenta um desafio diferente daquela que tem cinqüenta anos.

Embora minhas histórias e lições possam ser benéficas a qualquer um, este livro é primordialmente destinado a mulheres, baseando-se apenas na minha experiência como mulher. Ele não se destina apenas às americanas, mas a todas as mulheres do mundo desenvolvido que enfrentam pressões na carreira, estresse pessoal, globalização e todas as armadilhas da sociedade deste século XXI. E não é para aquelas cujo peso representa um risco de saúde imediato. Dirijo-me especificamente a mulheres que precisam perder até quinze quilos, o que equivale a uma grande proporção da população. No entanto, como no desenho animado de Tintim, esta história destina-se a todas as idades, dos sete aos setenta e sete, e dou conselhos para adaptá-la aos vários períodos de nossas vidas. Como as francesas não vivem apenas de pão, muito menos de alta proteína, apresento uma compreensível abordagem para viver, uma estratégia e uma filosofia que poderão adotar, incluindo cardápios e receitas rápidas que qualquer uma pode seguir e, *bien sûr* (claro), um guia para ser seguido. Ah, e gosto de pensar que homens de todas as nações poderiam beneficiar-se aprendendo algumas coisas sobre o outro gênero.

Então, quais são os segredos das francesas? Como entender todas essas mulheres de meia-idade com corpo das de vinte e cinco anos passeando pelas avenidas de Paris? Os capítulos seguintes expõem observações sobre minha época em Paris (cerca de doze semanas por ano) comparada com minhas semanas em Nova York, nos Estados Unidos e ao redor do mundo. Convido o leitor a refletir sobre as diferenças e modificar seu ponto de vista em relação a uma vida saudável.

Para começar, vamos deixar claro que as francesas simplesmente não sofrem o terror dos quilos que aflige tantas americanas. Todas as conversas sobre dietas que ouço nos coquetéis e festas na América fariam qualquer francesa arrepiar-se. Na França não falamos sobre "dietas", certamente nunca com estranhos. Podemos eventualmente compartilhar um ou dois truques que aprendemos com alguma amiga muito íntima – alguma coisa inteligente sobre um velho princípio francês. Mas passamos a maior parte de nosso tempo social falando sobre o que gostamos: sentimentos, famílias, interesses, filosofia, política, cultura e, claro, comida, principalmente comida (mas jamais dietas).

As francesas gostam de ser magras comendo bem, enquanto as americanas encaram isso como um conflito e uma certa obsessão. As francesas não perdem uma refeição sequer, tampouco as substituem por milk-shakes. Comem dois ou três pratos no almoço e três (algumas vezes, quatro) no jantar. E, com vinho, *bien sûr*. Como fazem isto? Bem, isto é uma história. É a história. Um palpite: comem com a cabeça e não saem da mesa sentindo-se empanzinadas ou culpadas.

Aprender que menos pode ser mais e descobrir como é possível comer tudo com moderação é o grande segredo. O exercício sobre proporção de calorias consumidas e muitas doses ingeridas de água também é. Não trabalhamos mais de dezoito horas por dia em uma mina ou em uma fazenda e nossos dias paleolíticos de caçadoras já pertencem ao passado. No entanto, a maior parte das americanas come pelo menos 10 a 30% mais do que precisa, não para sobreviver, mas para satisfazer a fome psicológica. O truque é gerenciar e gratificar seu apetite enquanto determina como, quando e o que reduzir. Vamos notar que as sensações maravilhosas de satisfação provocadas pela apresentação de um novo menu – uma alegria aumentada mesmo quando a absorção é diminuída – virão inspirar-lhe a aprender a mais básica regra francesa: Iludir-se.

Muitos nutricionistas valorizam um ponto de vista sensato, mas cobram uma fortuna para dizer como implementá-lo. O dinheiro gasto na tentativa de perder peso está fora de todas as proporções. A maior parte das mulheres simplesmente não tem condições de ter um médico ou nutricionista, entrar para um clube de ginástica, ir para um spa ou encomendar comida especial. Então, o que custa praticar os segredos das francesas? O único equipamento é uma pequena balança para pesar a comida durante os importantes e críticos primeiros três meses. Pode também querer comprar uma máquina de fazer iogurte se desejar comer *le vrai yaourt* (o verdadeiro iogurte), um elemento-chave no meu programa de estilo de vida; se já passou dos quarenta, deve adquirir halteres para enrijecer os músculos. *C'est tout* (só isso).

Começo pela minha infância na França e depois compartilho minha experiência como uma adolescente com problemas de peso. Quando tive que enfrentar o primeiro alerta físico de minha vida, busquei auxílio nos tradicionais princípios franceses. Compartilhando minha experiência não apenas com a comida, mas também com uma "abordagem total" de vida saudável, pretendo guiar cada leitora na busca por seu próprio *equilíbrio*. (*Le mot juste* – a palavra certa – na realidade: equilíbrio é um conceito importante, porque, embora nossos corpos sejam máquinas, não existem dois que sejam exatamente iguais; e eles "transformam-se" repetidamente ao longo de nossas vidas. Um programa que não evolui com você não será conveniente na longa caminhada.) Vou sugerir menus que poderão ser seguidos ao pé da letra, mas a meta é adaptar o que funciona individualmente. Não estou apresentando receitas como regras fixas. Adapte-as de acordo com sua preferência, prestando atenção a seu próprio corpo, horário, meio ambiente e outras características pessoais. Na realidade, dou ênfase à simplicidade, à flexibilidade e a "*recompensas*" por ter feito de acordo com você mesma. Este acerto não pode ser feito por um doutor-autor que nunca lhe foi apresentado.

À medida que reconto minha própria história desde a doce fase de adolescente até o resgate de um novo perfil, que não só tem dado certo há décadas, como continua a dar, indico um caminho a ser seguido. Levo as leitoras a percorrer um programa completo:

Fase um: *Toque de despertar*: um antiquado inventário de refeições durante três semanas. Um olhar límpido e honesto sobre o que você está comendo, o que, por si só, mesmo depois de alguns dias, pode decretar sua virada.

Fase dois: *Transformação:* introdução à escola francesa de porções e diversidade de alimentação. Você irá identificar e, temporariamente, suspender alguns "agressores" de primeira linha em geral. Isto é um processo de três meses, embora em alguns casos um mês seja o suficiente. Não será um manual de dieta, apenas uma oportunidade para o seu corpo ser recalibrado. Há uma disciplina, mas a flexibilidade é de vital importância principalmente neste estágio-chave de motivação: o valor de evitar a rotina tanto nas refeições como nas atividades, dando ênfase à qualidade sobre a quantidade. Nada de pizza por três dias seguidos, mas também nada de três horas na academia no sábado. Você vai aclimatar seus cinco sentidos a uma nova gastronomia (palavra grega, antes mesmo de ser francesa, significando "regras do estômago"). Três meses não é um tempo curto, mas também não é longo demais para algo que nunca mais vai precisar fazer novamente. Naturalmente, leva mais tempo para transformar os hábitos do corpo do que perder três quilos e meio de água, a parte inicial de muitas dietas extremistas. Mas, como o programa é francês, vamos ter prazeres, muito deles.

Fase três: *Estabilização*: um estágio no qual tudo o que você gosta de comer vai ser reintegrado em justas medidas. Você já reprogramou o "equilíbrio" e deve estar pelo menos na metade do caminho de sua meta de perda de peso. Espantosamente, neste ponto já pode aumentar suas indulgências e continuar a emagrecer ou apenas manter seu equilíbrio se já chegou lá. Dou o conselho de pôr em prática idéias sobre estações do ano e tempero, ferramentas importantes e que não dão o trabalho que algumas possam imaginar. Apresento várias receitas baseadas no talento francês para variações sobre um tema e como fazer três pratos fáceis partindo de um só com resultados deliciosos, economia de tempo, dinheiro e calorias.

Fase quatro: *O resto de sua vida*. Você alcançou a meta de seu peso, um equilíbrio estável e o resto são apenas refinamentos. Conhece bastante seu corpo e preferências para fazer pequenos ajustes no caso de quaisquer inesperadas compulsões, principalmente quando entrar em fases novas da vida. Seus hábitos de comer e viver estão condicionados agora a seus gostos e metabolismo, assim como uma roupa clássica de Chanel deve durar para sempre com pequenas alterações no correr dos anos. Agora, você está comendo sob um enfoque inteiramente diferente, com uma intuição que rivaliza com a de qualquer francesa – um respeito adquirido por frescor e sabor que abre um mundo de prazeres sensoriais a serem descobertos na apresentação, cor e variedade dos alimentos. O que vai fazer será por prazer e não por castigo. Vai saborear chocolate e um copo de vinho ao jantar. *Pourquoi pas?* (Por que não?)

Além da alimentação, que é o assunto primordial, vou descrever aspectos de vida saudável que também têm que ser agradáveis. Assim como a comida, esses não requerem medidas extremas (físicas, emocionais, intelectuais, espirituais ou financeiras), apenas um senso de controle. Incluem elementos – que gosto de chamar Zen francês – que podem ser aprendidos rápida e facilmente e praticados por qualquer pessoa (de modo geral, as francesas não freqüentam academias, mas, se isso lhe dá prazer, *à chacun son goût!* (Cada um a seu bel-prazer). Até as francesas sabem que há coisas mais importantes na vida do que comer, então você verá que as francesas também têm outras diversões, tais como amar e rir. Do começo ao fim, será importante reconhecer que o *ponto de vista* de Montaigne é mais relevante hoje do que nunca. Um corpo e uma mente saudáveis trabalham juntos. Para manter ambos, nada melhor do que *joie de vivre* (alegria de viver), uma expressão para a qual não há equivalente na América.

Agora, tenho algumas histórias para contar, na realidade algumas dúzias delas. Encontro prazer em contar histórias, assim como em beber e comer. Elas trarão à luz conceitos básicos, mas espero que gostem delas *comme ça* (desse jeito). Diferente de um livro de dieta, este não vai exigir que você se prenda a gráficos e pule textos: você terá que lê-lo. Aprender a comer direito é como aprender uma língua – nada funciona melhor do que como uma boa imersão.

Que a história comece.

1

VIVE L'AMÉRIQUE (VIVA A AMÉRICA) O COMEÇO... ESTOU ACIMA DO PESO!

Adoro minha terra adotiva. Mas, primeiro, como estudante de intercâmbio em Massachusetts, aprendi a gostar de biscoito de chocolate e de brownies. E ganhei dez quilos.

Meu caso de amor com a América começou com meu amor pela língua inglesa; nosso encontro foi no liceu (escola de ensino médio), quando eu tinha onze anos. Inglês era minha matéria favorita depois de literatura francesa, e eu simplesmente adorava meu professor de inglês. Ele nunca havia estado fora do país, mas falava inglês sem sotaque francês ou mesmo britânico. Aprendera durante a Segunda Guerra, quando ficou em um campo de prisioneiros com um professor de escola superior em Weston, Massachusetts (creio que tiveram longas horas para praticar). Sem saber se sairiam dali com vida, decidiram que, se sobrevivessem, iniciariam um programa de intercâmbio para estudantes do ensino médio. A cada ano, um estudante dos Estados Unidos viria para nossa cidade e um de nós iria para Weston. O intercâmbio continua até hoje e a competição é acirrada.

No meu último ano no Liceu, tinha ótimas notas, que me capacitavam a tentar a viagem, mas não estava interessada. Sonhava tornar-me uma professora de inglês ou catedrática e estava ansiosa para começar os primeiros estudos na universidade local. E, aos dezoito anos, naturalmente, acreditava que estava loucamente apaixonada por um garoto da minha cidade. Era o mais bonito, embora na verdade não fosse o mais brilhante, a coqueluche de todas as garotas. Como não imaginava sequer em me separar dele, não me inscrevi para Weston. Mas, no pátio da escola, no intervalo das aulas, não havia outro tópico de conversa. Entre as minhas amigas, a favorita era Monique: ela desejava ardorosamente ir e, além disso, era a melhor aluna da classe, um fato importante para o comitê de seleção, que era presidido pelo meu professor de inglês e incluía membros importantes: pais e mestres, professores, o prefeito, o padre católico local e o ministro protestante. Mas, na segunda-feira de manhã, quando o resultado era esperado, a única coisa anunciada foi que nenhuma decisão havia sido tomada.

Em casa, naquela quinta-feira de manhã (naqueles dias não havia aulas nas quintas e só metade dos sábados), meu professor de inglês bateu à minha porta. Tinha vindo ver minha mãe, o que parecia estranho, considerando minhas boas notas. Assim que ele saiu, com um sorriso largo e satisfeito, porém sem dizer uma só palavra além de alô, minha mãe chamou-me. Algo era *très important* (muito importante)

O comitê de seleção não havia achado uma candidata apropriada. Quando perguntei sobre Monique, minha mãe tentou explicar uma coisa que na minha idade não era sequer imaginada. Minha amiga tinha tudo a seu favor, mas seus pais eram comunistas e isso não seria aceito na América. O comitê debatera por muito tempo (era uma cidade pequena, onde todos estavam bem informados sobre a vida de todos), mas não tinham como escapar da conclusão de que uma filha de comunistas nunca poderia representar a França!

Meu professor apresentou-me como alternativa e os outros membros aceitaram. Mas, como eu não me havia inscrito, ele teria que persuadir meus pais a deixar-me ir. Meu superadorado pai, que jamais concordaria em me deixar longe durante um ano, não estava em casa. Talvez meu professor tivesse contado com isso: mas, de qualquer maneira, ele conseguiu vender a idéia para minha mãe. O trabalho todo, então, ficou a seu cargo, porque tinha que persuadir tanto meu pai quanto a mim. Não que ela gostasse de me ver partir, mas *Mamie* sempre foi inteligente e com visão; e geralmente conseguia o que queria. Eu estava por demais preocupada com o que Monique diria, mas, assim que a notícia se espalhou, ela foi a primeira a declarar que eu seria uma excelente embaixadora. Aparentemente, as famílias comunistas são abertas e práticas em tais assuntos e ela fora educada para entender que a ideologia de seus pais já a havia transformado em azarão desde o começo.

E então parti. Foi um ano maravilhoso – um dos melhores de minha adolescência –, que, com certeza, mudou o curso de toda a minha vida. Para uma garota francesa, Weston, um subúrbio rico de Boston, parecia um sonho americano – muito verde, tudo muito bem tratado, casas lindas e enormes e famílias ricas e cultas. Tinham quadras de tênis, cavalos, piscina, golfe e dois ou três carros por família – nem de longe parecido com qualquer cidade do leste da França naquela época e até mesmo agora. O ambiente era repleto de coisas novas e incríveis, mas ricas demais, e não estou só falando demograficamente, mas em termos de alimentação também. Porém, apesar das inestimáveis novas amigas e experiências, algo sinistro estava se formando lentamente. Quase antes que me desse conta, eu engordara cerca de oito quilos e, bem provavelmente, mais. Era agosto, o último mês antes de meu retorno à França. Eu estava em Nantucket, com uma de minhas famílias adotivas, quando tive o primeiro choque: olhei-me no espelho de roupa de banho! Minha mãe americana, que talvez tenha passado por isso com outra filha, instintivamente registrou meu desespero. Sendo uma excelente costureira, comprou uns metros de excelente linho e me fez uma camisa larga de verão. Parecia resolver o problema, mas era apenas para ganhar tempo.

Nas últimas semanas na América, fiquei muito triste com a idéia de deixar meus novos amigos, mas também estava apreensiva com o que meus amigos franceses e minha família iriam falar sobre minha nova aparência. Nunca mencionara nas cartas o peso ganho e sempre consegui enviar retratos da cintura para cima.

Aproximava-se o momento da verdade!

2

LA FILLE PRODIGUE: A VOLTA DA FILHA PRÓDIGA

Meu pai foi com meu irmão ao Le Havre para me receber. Eu estava viajando pelo SS *Rotterdam*. O navio ainda era o transatlântico preferido por muitos franceses nos idos de 1960. Vinha comigo a estudante de intercâmbio americana que passaria um ano em nossa cidade.

Como não me via há um ano, pensei que meu pai, que sempre tinha o coração estampado no rosto, ia me deixar constrangida pulando na ponte para o primeiro abraço e beijo. Mas, quando vi o francês pequenino com sua tradicional boina – sim, uma boina –, sua expressão era de espanto. Ao aproximar-me dele, agora um tanto hesitante, apenas olhou-me e quando chegamos mais perto, depois de alguns segundos que pareceram infindáveis, ali, na frente de meu irmão e de minha colega americana, tudo o que conseguiu dizer para sua filha querida que voltava para casa foi: "Tu ressembles à um sac de patates" ("Você parece um saco de batatas"). Algumas coisas não soam nada bonito em francês. Sabia o que passava na sua cabeça; não um saco de um quilo, mas aquele enorme, de 70 quilos, que é entregue nos supermercados e restaurantes! Felizmente, a garota de Weston falava mal o francês ou teria uma perturbadora impressão da vida de uma família francesa.

Aos dezenove anos, nunca imaginara algo tão doloroso e, até hoje, ainda não consegui superar. Mas meu pai não estava sendo mau. Claro que tato nunca foi seu forte; e a hiper-sensibilidade de uma menina adolescente em relação ao peso e à aparência ainda não era o proverbial problema que hoje cada pai sabe bem como contornar. A recepção devastadora foi ainda pior porque ele fora pego de surpresa. Mesmo assim, foi mais do que eu podia suportar. Fiquei, ao mesmo tempo, furiosa, envergonhada e sem saber o que fazer. Naquela época, não tinha a menor idéia do tamanho do impacto.

No caminho para o leste da França, paramos em Paris por uns dias, para mostrar a Cidade Luz à minha amiga de Weston, mas meu inexorável mau humor fez com que todos ficassem loucos para pegar a estrada novamente. Estraguei a estada de todos nós em Paris. Fui um horror!

Os meses seguintes foram amargos e estranhos. Não queria que ninguém me visse, mas todos queriam conhecer a americana. Minha mãe entendeu logo como e porque eu havia engordado e também como eu me sentia. Ela agiu com diplomacia, evitando o tópico que não podia ser abordado, talvez porque eu ainda fosse dar-lhe algo mais com que se preocupar.

Como eu já tinha visto um pouco do mundo, perdera a vontade de cursar a Universidade local. Queria agora estudar línguas em uma *Grande École* (algo como a Ivy League) em Paris e, além disso, fazer um curso de Literatura ao mesmo tempo. Isso parecia uma loucura e estava inteiramente fora de propósito. Meus pais não concordavam com a idéia de Paris; se eu conseguisse entrar (muito pouco provável, pois a competição é lendária), ia ser um grande sacrifício, tanto financeiro como emocional, ir para um lugar que ficava a três horas e meia de casa. Mas lutei muito e, graças à persistência óbvia dos meus nervos à flor da pele, no final deixaram que fosse a Paris fazer o famoso e terrível exame de admissão. Passei e nos fins de setembro mudei-me para Paris. Meus pais sempre quiseram o melhor para mim.

Por volta do Dia de Todos os Santos (1º de novembro), eu havia ganho mais três quilos e, no Natal, engordara outros três. Com um metro e cinqüenta e cinco, estava agora acima do peso normal segundo qualquer padrão e nenhuma roupa me servia, nem mesmo a camisa larga que minha mãe americana havia feito. Encomendei mais duas de flanela – mesmo modelo, porém mais largas –, destinadas a disfarçar minha gordura. Falei com a costureira para apressar e odiei-me a cada minuto do dia. A gafe de meu pai no Havre mais e mais me parecia justificável. Foram dias horríveis, chorando até cair no sono e evitando qualquer reflexo nos espelhos. Não parece estranha tal experiência aos dezenove anos, mas nenhuma das minhas amigas francesas enfrentava isso.

Então, algo milagroso aconteceu. Ou talvez deva dizer Dr. Milagre, que apareceu graças à minha *mamie*. Durante um feriado prolongado, ela pediu ao médico da família, o Dr. Meyer, para fazer-nos uma visita. Fez isso muito discretamente, temendo magoar-me ainda mais. O Dr. Meyer conhecia-me desde pequena e era a pessoa mais bondosa do mundo. Garantiu-me que eu voltaria ao peso antigo, que isso seria realmente fácil, apenas uma questão de "velhos truques franceses". Até a Páscoa, prometeu-me, estaria com quase o mesmo corpo de antigamente e, com certeza, em junho, no final do ano escolar, estaria pronta para usar a roupa de banho que levara para a América. Como em um conto de fadas, isso seria nosso segredo (nada de aborrecer ninguém com os detalhes de nosso plano, disse-me ele). E o peso diminuiria muito mais depressa do que havia vindo. Isso parecia ótimo. Claro que confiava no Dr. Meyer e, felizmente, não tinha muita opção naquela época.

A RECEITA DO DR. MILAGRE

Nas três semanas seguintes, teria que escrever no diário *tudo* o que comia. É uma estratégia que vai parecer familiar aos programas de dieta americanos como os Vigilantes do Peso. Tinha que anotar não apenas o que comia e quanto, mas também onde e quando. Não era uma conta de calorias, isso eu não poderia fazer. A finalidade primordial era simplesmente para que ele calculasse o valor nutritivo do que eu estava comendo (foi a primeira vez que ouvi esta palavra). Como nada mais foi pedido, fiquei muito feliz em cooperar. É a primeira coisa que você também deve fazer.

O Dr. Meyer não exigia grande precisão nas medidas. Apenas uma estimativa, disse-me, estipulando "uma porção como única unidade de quantidade e mais ou menos igual a uma maçã de tamanho médio". Na América, onde o maior inimigo da comida balanceada são as porções cada vez maiores, sugiro um pouco mais de precisão. Aí é que entra a pequena balança de cozinha. (Pão, que às vezes vem em grandes fatias, pode ser mais facilmente pesado do que comparado com uma maçã, que aqui também parece bem maior!)

Três semanas depois, voltei para casa no fim de semana. Pouco antes do almoço, o Dr. Milagre, distinto, grisalho, apareceu pela segunda vez. Ficou para o almoço. Depois, revendo meu diário, detectou imediatamente um modelo óbvio para ele, mas inadvertido para mim, quando anotava cada migalha posta na boca. No caminho entre a escola e o quarto que alugava no Sétimo Arrondissement, havia nada menos do que dezesseis casas de doces. Sem que eu percebesse, minhas refeições estavam girando mais ou menos em torno de massas e doces. Como eu morava em Paris, minha família não podia saber disso, então, quando voltava para casa, minha mãe naturalmente preparava meus pratos favoritos sem saber que eu estava comendo sobremesa extra, às escondidas, mesmo debaixo de seu teto.

Minha gulodice de doces parisienses era maravilhosamente diversificada. De manhã, havia croissant ou *pain au chocolat*, ou *chouquette* ou *tarte au sucre*. O almoço era precedido por uma parada no Pôilane, a famosa padaria onde eu não resistia ao *pain aux raisins* (pão com passas) ou *tarte aux pommes* (torta de maçã) ou *petit sablés* (bolinhos secos). A segunda parada era em um café para o *jambon-beurre* (pão com manteiga e presunto) e o que restara das gulodices de Poîlane. O jantar sempre incluía, e às vezes apenas isso, uma bomba *Paris Brest*, *religieuse*, ou *mille-feuille* (mil-folhas – curiosamente chamada, fora da França, Napoleão), sempre alguma forma de doce cremoso ou amanteigado. Às vezes, até parava para comer um *palmier* (um tipo de biscoito açucarado) para meu *goûter* (lanche de tarde). Como estudante, eu vivia de coisas que podia comer pelo caminho. Quase nenhum legume ou verdura passava pelos meus lábios e as frutas diárias eram só as que vinham nas tortas. Comia essa estranha mistura sem a menor preocupação e com total felicidade – exceto, claro, com relação à minha aparência.

Obviamente esta não era uma dieta que aprendera na América, onde ninguém vai dizer que as ruas estão cheias de lojas de doces irresistíveis (embora naquela época, como agora, não houvesse economia de tentadores biscoitos de chocolate e vendedores de maravilhosos sorvetes, sem mencionar a grande variedade de doces nos supermercados feitos com ingredientes muito piores do que manteiga e creme). Mas, como eu iria aprender, foi minha *maneira* de comer adotada na América que havia mudado minha cabeça e aberto a porta aos perigos deste delicioso campo minado parisiense. Isto porque na América eu adquirira certos hábitos: comer em pé, não fazer minha própria comida, alimentando-me de qualquer coisa (*n'importe quoi*, como dizem os franceses), como as outras meninas faziam. Brownies e bagels eram especiais; não havia nada parecido em casa e como saber que engordavam tanto?

De volta à França, continuei a comer *n'importe quoi* (qualquer coisa), embora não encontrasse nenhum brownie (bolinho de chocolate). Talvez sentisse saudades de meu segundo lar adotivo e estivesse procurando minha "Madeleine" – lembrança dos doces do passado. De qualquer jeito, fiquei à vontade e abusei das guloseimas que a França tinha para oferecer. Finalmente, fiquei viciada em mil folhas. E, como qualquer viciado, meu corpo ansiava sempre mais além daquilo que antes fora apenas bem-aventuradamente intoxicante em pequenas doses.

Estava na hora de entrar na reabilitação, mas felizmente o Dr. Milagre nunca havia ouvido falar em tratamento de choque. (Os franceses não gostam de violência em qualquer situação.)

A abordagem do Dr. Milagre foi muito mais civilizada e direta. De acordo com ele, temos dois "egos" em cada um de nós: um que quer ser magra e saudável e um que quer outra coisa. Um vê o panorama geral – bem-estar, auto-estima e poder vestir o que está na moda. O outro quer vários prazeres e agora. Um é Narciso olhando em seu lago; o outro é Pantagruel apoiando-se à mesa. O segredo, disse-me ele, não era dominar o segundo e sim tentar uma aproximação: fazer amigos dos dois "egos" e ser o mestre de sua força de vontade *e* de seus prazeres. Este era o jeito francês.

Não se pode esquecer, disse-me, "*il y a poids et poids*" (existe peso e peso), existe o peso do "corpo ideal", que é mostrado em gráficos de companhias de seguros, baseado apenas na altura; e o "peso da moda", um ideal fora do natural no qual o comércio tem um papel importante e, às vezes, insidioso; e existe o peso do "bem-estar", aquele em que cada indivíduo sente-se *bien dans sa peau* (feliz consigo mesmo), como diz Montaigne. Este último conceito – *bien dans sa peau* – foi o que o Dr. Milagre apresentou como nossa meta. É quando podemos dizer, "sinto-me bem e estou com boa aparência". O peso ideal varia nas diferentes épocas de nossa vida, mas invariavelmente está baseado em aprender a ser um pouco narcisista e, ao mesmo tempo, um pouco hedonista – duas noções que não são más nem mesmo contraditórias, como supõem algumas americanas. (Não tenham medo – entendo o veio Calvinista; minha família é Huguenote – Protestante francesa.)

Tout est question d'équilibre (tudo é uma questão de equilíbrio) era o mantra essencialmente francês do Dr. Milagre. Naqueles dias tornou-se também o meu e assim tem permanecido. Ensinar-me a encontrar o meu equilíbrio pessoal, para viver *bien dans ma peau*, essa seria nossa missão.

Nada havia de errado, explicou-me, em comer doces, mas meu consumo havia excedido o equilíbrio. Então, nos três meses seguintes eu teria que parar, procurando alternativas menos engordativas, exceto em ocasiões especiais – como sempre deve ser. Seria menos privação do que contemplação e reprogramação porque, como eu iria descobrir, atingir o equilíbrio tem mais a ver com a mente do que com o estômago; trata-se de descobrir e lidar com *nos petits démons* (nossos pequenos demônios), como o médico chamava-os. (Assim que se der conta de que mudar seus hábitos, para ser igual a uma mulher francesa, é mais um estado de espírito, você verá que a única verdadeira e efetiva abordagem é a que começa em sua cabeça.) Mais tarde, eu poderia reaver todos os meus pratos favoritos – mas equilibradamente, apreciando-os sem culpa e sem ganhar peso. Mais fácil falar do que fazer? *Peut-être* (talvez). Mas, à medida que prosseguirmos, você será o juiz.

O Dr. Milagre era um bom psicólogo. Reconhecia um aspecto positivo da maior parte das dietas, até daquelas que falham ao longo do tempo; um rápido e positivo reforço. A inércia é a parte mais difícil na mudança de hábitos e todos necessitam de um pouco de encorajamento. O equilíbrio deve ser cultivado gradualmente; não pode simplesmente ser imposto. Então, eu deveria fazer alguma coisa importante naquele sábado para ganhar estímulo para a semana seguinte. Mas, a partir daquele momento, tentaria uma semana de cada vez. Fins de semana e férias seriam normalmente épocas em que faria concessões. *Gradualmente*, até minhas concessões tornar-se-iam mais econômicas. Entrementes, aprenderia a balanceá-las tendo uma pequena compensação na semana seguinte.

O Dr. Milagre também era apreciador de boa comida. Deu-me muitas receitas, mas nenhuma mais importante do que aquela para o primeiro e único fim de semana "difícil". À luz dos acontecimentos, não foi tão difícil assim, por causa de sua "Sopa Mágica de Alho-Poró", um truque usado por muitas mulheres da região há gerações. Ele já havia receitado para minha avó e para minha mãe em determinados momentos. Alho-poró é um diurético suave, baixo em calorias e altamente nutritivo. Quarenta e oito horas de alho-poró dão resultado imediato para o pulo da transformação. Para mim, foi o começo de um compromisso de vida inteira para com o bem-estar, assim como o início de minha apreciação, meu amor ao alho-poró, sobre o qual tenho muito mais a dizer. É um truque que ainda uso de tempos em tempos: tente na primeira semana, seguindo seu próprio inventário de comida.

SOPA MÁGICA DE ALHO-PORÓ (CALDO)

1 porção para o fim de semana

INGREDIENTES

2 quilos de alho-poró

1. Limpe o alho-poró e lave-o bem para tirar a areia e a terra. Corte fora as partes verde-escuras, deixando as partes brancas e as verde-claras. Reserve as verdes extras para o estoque da sopa.
2. Coloque o alho-poró em uma panela grande e cubra com água. Deixe ferver. Reduza o fogo e cozinhe sem tampar por 20 a 30 minutos. Retire o líquido e reserve. Coloque o alho-poró em uma vasilha.

O suco deve ser bebido (aquecido ou à temperatura ambiente) a cada 2 ou 3 horas, 1 xícara de cada vez.

Nas refeições ou sempre que sentir fome, coma o próprio alho-poró, ½ xícara de cada vez. Tempere com algumas gotas de azeite de oliva extravirgem e com suco de limão. Salpique um pouco de sal e pimenta. Se desejar, coloque salsa picada.

Esta será sua alimentação nos dois dias até o jantar de domingo, quando pode comer um pequeno pedaço de carne ou peixe (110g – não perca ainda esta medida!), com dois legumes cozidos com um pouco de manteiga ou azeite, e um pedaço de alguma fruta.

Pobre daquelas que não gostam do doce paladar e da textura delicada do alho-poró. No devido tempo, você provavelmente vai gostar. Caso contrário, poderá seguir o exemplo de minha prima em Aix-en-Provence; depois do nascimento de dois filhos, precisava perder alguns quilos, mas não gostava de alho-poró. Uma vizinha sugeriu que escondesse o alho-poró entre outros ingredientes saborosos e saudáveis. Esta versão provençal é conhecida como *Soupe Mimosa* (Sopa Mimosa).

SOPA MIMOSA

1 porção para o fim de semana

1. Limpe e corte todos os legumes em pedaços e coloque-os em uma panela, exceto a couve-flor e a salsa. Cubra com água, ferva e cozinhe sem tampa por 40 minutos. Adicione a couve-flor e cozinhe por mais 15 minutos.
2. Passe tudo por uma peneira.
3. Sirva a sopa em uma tigela e adicione salsa e pedaços dos ovos cozidos.

INGREDIENTES

1 alface
250g de cenouras
250g de aipo
250g de nabo
250g de couve-flor
1/2 quilo de alho-poró
1/2 xícara de salsa
2 ovos cozidos, picados

Tome uma xícara (na temperatura ambiente ou aquecida) a cada três horas, durante todo o dia de sábado e domingo até o jantar de domingo, quando poderá comer um pequeno pedaço de carne ou peixe (110g), dois legumes cozidos em uma pequena porção de manteiga ou azeite de oliva, e um pedaço de alguma fruta. Embora, de certa maneira, esta sopa tenha um pouco menos de magia e seja menos líquida do que a sopa de alho-poró, é uma alternativa saborosa e eficaz.

Ambas as versões são tão boas e uma tal aventura para a maioria dos paladares que você vai ter dificuldade em considerá-las como rações de prisão. Principalmente se esses sabores forem novos para você, coloque as impressões de sabor e fragrância na próxima página em branco do caderno de notas no qual anotou suas três últimas semanas. Este exercício vai intensificar seus prazeres e você pode querer manter um diário regular de suas experiências gastronômicas, incluindo algumas notas sobre vinho (como sérios enófilos fazem).

3

TRANSFORMAÇÃO EM CURTO PRAZO: OS PRIMEIROS TRÊS MESES

Enquanto seu alho-poró estiver cozinhando, faça a si mesma as seguintes perguntas:

1. Por que estou fazendo isso? Faço porque estou com medo de que meu marido ou minhas amigas achem que estou *bouboum* (gorda e balofa)? Ou é porque minhas roupas não cabem em mim? Apesar das dietas serem freqüentemente inspiradas no medo e na auto-rejeição, tais emoções não indicam o caminho para viver como uma francesa. A fim de aceitar a transformação, tem que estar pronta para aceitar o prazer e a felicidade individual como suas metas. Parece um paradoxo? Pelo menos a metade dos nossos hábitos errados de comer e beber é negligente: origina-se de uma falta de atenção aos nossos verdadeiros prazeres e necessidades. Não notamos o que estamos consumindo, não ficamos alerta aos sabores – não estamos realmente *apreciando* nossas concessões e, portanto, não lhes damos a devida importância e exageramos. Talvez você tenha desistido de se preocupar com moda. Ou está tentando coisas novas? Pode ser fácil

para uma mulher casada, uma mãe e uma trabalhadora em tempo integral negligenciar o prazer; talvez uma parte de seu íntimo considere isso egoísmo. Mas você deve entender que não há nada de nobre em deixar de descobrir e cultivar seus prazeres. (Isso vai não só engordá-la, mas deixá-la de mau humor.) Você deve aos entes amados, bem como a você mesma, conhecer e procurar o que lhe dá prazer. E como o gosto e o metabolismo de cada um são únicos, deve prestar atenção a si mesma – para o que lhe agrada – para que possa modelar seu sistema e suas preferências. É um compromisso para a vida inteira, mas promete uma vida de boa saúde e de felicidade.

2. *Qu'est-ce qui se passe?* (O que está acontecendo?) Você não pode começar a comer e a viver bem em um vácuo físico ou emocional. Por que *acha* que engordou? Idade? Pressão familiar ou no trabalho? Solidão? Moda? (Acredite ou não, algumas de nós tendem a ganhar peso precisamente quando os estilos são mais liberais!) Acabou de ter um bebê? Parou de fumar? Sente sempre fome? Tristeza? As possíveis combinações de fatores físicos e mentais são muito vastas para possibilitar uma listagem completa. Perder o próprio equilíbrio pode ser um sintoma de um trauma mais sério. Se for um problema devastador, você pode estar precisando de auxílio de alguém de fora – procure esta ajuda. Mas, se não a deixou inteiramente fora de prumo, as chances são de que você mesma possa lidar com ele. Se os hábitos errados de comer são a sua maneira de compensar outros problemas, preste atenção, porque as francesas têm um menu muito mais diversificado de compensações. Se trocou a nicotina por batata frita, chegou a hora de considerar alternativas.

Tendo dito estas coisas, podemos proceder ao plano de programar as três semanas seguintes. Primeiro, e mais importante, isso significa identificar e reconsiderar nossos piores agressores. Alguns podem ser eliminados, outros reduzidos. A abordagem correta depende de suas necessidades individuais.

"PRENDA OS SUSPEITOS DE SEMPRE"

A famosa frase do Inspetor Renault em *Casablanca*, quando deixa Humphrey Bogart livre do assassinato dos oficiais nazistas, é uma ordem inteligente para o primeiro passo da transformação.

Vamos dar uma olhada no seu diário. Alguma coisa nas três semanas passadas parece estranha? Talvez não. Sem a visão objetiva do Dr. Milagre, eu poderia não ter identificado imediatamente meus próprios "agressores", aquelas comidas que eu estava devorando fora de quaisquer proporções. Meus grandes problemas eram pão, doce e chocolate. Vícios que não são muito incomuns. Mas talvez para você não sejam vícios de maneira alguma: seu consumo pode ser perfeitamente moderado ou trivial. Uma fatia de pão no almoço, uma fatia pequena de torta depois do jantar. Seus agressores podem ser bem diferentes.

Analise seu diário, determinando o que parece excessivo *no seu julgamento.* Pode começar pela pergunta: "O que não me faz falta? – ou, pelo menos, o que posso diminuir?" É a idéia do abandono desses dois cosmos a única coisa que lhe é importante durante o dia? Como *um* só lhe bastaria? Ou se deixasse de comer este item a cada três dias? Pediu ao garçom mais pão antes mesmo de ele trazer seu pedido? Você pode achar uma fatia saboreada lentamente no jantar bastante satisfatória ou você pode tranqüilamente esperar pelos aperitivos? Você come todas as batatas fritas que estão em seu prato?

Creio que você sabe aonde quero chegar. Isso não é radical. Pequenas coisas contam muito. Mas agora pergunte-se algo mais: "Quais as coisas de que gosto mais: meu copo de vinho no jantar? Um sorvete na tarde de domingo?" Considere todas as coisas que consome regularmente. Qual delas lhe dá verdadeiro prazer e quais as que você está comendo em excesso sem razão? Uma coisa que as francesas sabem é que o prazer da maior parte das comidas está nos primeiros bocados: raramente repetimos. As coisas das quais gostamos não podem virar rotina.

Ainda não conseguiu decidir do que abrir mão? Tudo bem, chegou a hora de fazer como o Inspetor Renault: prenda os suspeitos de sempre. Aqui estão algumas coisas de que muitas mulheres costumam abusar: batatas fritas, bagels, massas, pizzas, frituras, sucos, cerveja ou bebidas fortes, barras de doces, sorvetes, refrigerantes e chocolate em geral. Se você costuma comer qualquer um desses suspeitos como rotina diária (por exemplo, batatas fritas sempre que come um sanduíche), aí está sua oportunidade! Se nos próximos três meses puder cortar um desses "agressores" sem sentir-se violentada, faça-o. Mas se um deles é importante para seu contentamento, reduza-o aos poucos. Suco diluído em água gasosa apazigua mais a sede do que apenas o próprio suco. E pode ir reduzindo a quantidade do suco lentamente! Pão é um caso à parte; questão de vida ou morte para os franceses não pode ser tratada levianamente. (De fato, o pão, como o chocolate, é uma das raras comidas que pode ser seu melhor amigo ou seu pior inimigo – Vamos examinar ambos em um capítulo mais adiante.) Mas se está comendo três pedaços em uma refeição, diminua para um pedaço ou apenas passe a cesta se não quiser nenhum. Não coma automaticamente. Ao final, você só vai comer o que vale a pena!

Há uma vida de indulgências abençoadas com menos doses de todas as coisas citadas e até mesmo das basicamente boas para você. Chegar lá acontece quando você descobrir que, em geral, "agressores" são comidas que temos a tendência de comer compulsivamente, com muito menos prazer do que possamos imaginar. Geralmente são versões pobres de algo muito melhor – por exemplo, queijo processado de supermercado comparado com o verdadeiro queijo de boa qualidade. Quando aprender a substituir o lixo por iguarias que realmente satisfazem, vai perceber que a regra de "Menos é mais" não é balela. Então, vai descobrir o que é óbvio para as francesas: Há um prazer quase estático em um único pedaço de um bom chocolate amargo que você jamais terá em uma dúzia de barras de doces. Por falar nisso, por favor, elimine todos os "chocolates" recheados de fécula de milho, xarope de milho, sabores artificiais, cores artificiais e com muito açúcar.

Descartes, o grande filósofo do século XVII, é famoso por sua frase: "Penso, logo existo." Mas ele também sabia algumas coisas sobre como o corpo e a mente influenciam um ao outro e que, para entender as paixões da alma, suas funções devem ser separadas das do corpo. O segredo de uma mulher francesa está principalmente na cabeça. Uma coisa é identificar os "agressores"; outra muito diferente é dominá-los. Se todas nós tivéssemos uma força de vontade férrea, não haveria razão para este livro. Em média, a francesa, como qualquer uma de nós, não tem este poder. Mas domina como ninguém a arte de iludir-se – a parte mental de viver bem. De fato, eu diria que o completo controle da mente sobre o corpo é indesejável; sugere falta de abertura aos prazeres espontâneos dos sentidos. Então, como mulheres comuns e mortais suportam três meses de redução de "agressores" neste período de tentativa de novos hábitos e novo equilíbrio? Aqui estão os princípios básicos ensinados pelo Dr. Milagre e adaptados pela experiência e por erros ao longo dos anos. São apresentados inicialmente em resumo, para iniciá-la na transformação, mas, para uma contribuição mais duradoura dos segredos da mulher francesa, você terá que absorvê-los nos capítulos a seguir. Há aulas mais especiais em que é preciso aprender ou reaprender, a fim de se ajustar perfeitamente à comida. Mas por enquanto:

Devagar e Sempre

Não há glória duradoura em rápida perda de peso. Isto é o que as dietas oferecem: um célere período de infelicidade (semanas, não meses) para resultados temporários. Se você acredita que pode perder quilos rapidamente com força de vontade e privação, na melhor das hipóteses, vai não apenas reaver os que perdeu, mas também acrescentar alguns. (Esta é a origem da expressão *efeito sanfona*.) Se sua reprogramação começa mostrando resultados drásticos em um mês, você está entre as pessoas de muita sorte. Mas uma transformação segura de seu corpo é assunto para três meses. O segredo é fazer com que estes três meses sejam agradáveis, não uma condenação para a Bastilha.

Variedade

Como o Dr. Milagre aconselhou, dietas fulminantes também provocam o risco de criar *carências* (deficiências nutritivas), cujos perigos podem ser piores do que os de excesso de peso. A resposta não está nos suplementos, mas em comer a maior variedade possível de boa comida. Tal variedade vai compensar-lhe, em muito, pelas coisas das quais sente falta – na verdade, vai descobrir que, não fazem tanta falta assim.

É espantoso para as francesas o fato de algumas pessoas comerem sempre a mesma coisa. Tédio gastronômico leva a comer uma porção de coisas pouco saudáveis. Se não improvisar e experimentar parte de sua vida gastronômica, você pode ter certeza de que está entrando em uma rotina. É tão ruim quanto a rotina romântica – perde a chama – e o mais provável é causar um monte de problemas! As francesas sabem a importância de transformar um pouco de conforto em animação. Não sabe andar em um mercado? Não tem tempo de cozinhar? Relaxe: você não precisa ser rica ou uma cozinheira cinco estrelas para apreciar um vasto mundo de sabores naturais. Assim que aprender alguns truques, o esforço será mínimo para cozinhar com variedade e não leva mais tempo do que o bolo de carne moída nas noites das segundas-feiras. (O próximo capítulo tem alguns exemplos e um completo arsenal sobre "As Estações e os Temperos").

Considere uma oportunidade provar comidas e sabores que nunca experimentou antes. Um queijo do qual nunca ouviu falar? Uma erva fina? Que tal arraia, chalota, cebolinha ou aipo? Ou uma variedade de ostras, um dos meus pratos favoritos. A novidade é uma distração poderosa. Escolha qualidade em vez de quantidade: procure ingredientes da estação. Geralmente o melhor da estação é mais barato do que o pior fora da estação!

Um truque final de variedades: Já que o prazer da maior parte dos alimentos está nas primeiras mordidas, coma cada coisa no seu prato de cada vez, pelo menos no início da refeição, quando pode concentrar-se e apreciar bem os sabores. Pôr na boca um *mélange* (mistura de comidas) derrota o propósito de variedade.

Ritual de Preparação

As francesas adoram comprar e preparar a comida. Gostam de falar sobre o que compraram e fizeram. É um amor profundo e natural, mas que em muitas outras culturas foi apagado. A maior parte das mulheres francesas aprendeu com suas mães, algumas com seus pais. Mas se seus pais não são franceses, você pode aprender sozinha. Mesmo quando ainda era estudante, o Dr. Milagre mandou-me ir duas ou três vezes na semana a um dos melhores mercados locais na Rua Clerc, perto de onde eu morava em Paris. Seu conselho era simples: Compre apenas o que precisar para os próximos dois dias (esqueça as megacompras duas vezes ao mês no supermercado). Eu deveria cozinhar de maneira simples, mas cozinhar em casa, para ver e aprender o que estava colocando no meu corpo. Na reprogramação, é de grande ajuda fazer e consumir seu próprio almoço. Evite o desconhecido das comidas compradas prontas, principalmente as do tipo processadas. (Mais fácil do que trazer a balança para o trabalho!) Era também importante transformar meu jantar em uma espécie de acontecimento "*gourmand*" (de gula). "O que vamos ter para jantar?" devia tornar-se uma pergunta excitante com variedade de respostas. Imaginação e preparação devem acompanhar o jantar. Você deve perceber que os resultados almejados são dignos de um pouco mais de concentração e esforço no começo. Sem sentir, vai se ver fazendo isso automaticamente. Fazer compras no mercado e cozinhar eram atividades relativamente novas para mim – de certo modo, não fizera isso em casa, embora tivéssemos excelentes cozinheiros na família –, mas o Dr. Milagre insistiu que eu me divertiria fazendo isso. Felizmente, a maior parte das minhas aulas na universidade não começava de manhã cedo.

Água

Todos, franceses ou não-franceses, concordam que água é importante e que a maioria não bebe o suficiente. Certamente, é uma perspectiva desagradável beber oito copos por dia, como é necessário. E enquanto muitas mulheres considerarem um fetiche carregar uma garrafa de água durante todo o dia, ponho-me a imaginar quantas estão bebendo tudo o que precisam. De qualquer maneira, seja o quanto for, mais não vai fazer mal. Se não pode pensar em chegar a oito copos por dia, por ora acrescente dois aos seus hábitos da seguinte maneira: Beba um grande copo de água de manhã, logo ao levantar. Poucos se dão conta de como nosso tempo de sono desidrata. (Talvez seja essa a razão por que um grande copo de suco – um agressor em qualquer padrão – cai tão bem ao levantar.) Um copo de água pela manhã vai não só refrescar sua aparência, como também ajudar a dar-lhe energia se não dormiu bem. E tome um copo de água pura quando for deitar-se, à noite. A desidratação é uma das causas de dormir mal. Se não gostar de água, tente colocar uma rodela de limão.

Ritual ao Comer

Mais tarde, vamos ter uma seção inteira sobre isso. Por enquanto, habilidades básicas de sobrevivência: Só coma à mesa, sempre sentada. Use pratos normais e bons guardanapos, se possuí-los, para dar ênfase à seriedade da atividade. Coma devagar e mastigue apropriadamente. (As mães americanas ensinam isso, mas têm a tendência de encarar como boa educação, e não como prazer.) Não assista à televisão nem leia. Pense apenas no que está comendo, engolindo e saboreando a cada pedaço. Pratique baixando os talheres a cada garfada, descrevendo mentalmente os sabores e as texturas em sua boca. (Não deixe que ninguém zombe por estar agindo como uma francesa – você vai rir por último!)

Controle da Porção

Aprenda lentamente. O tamanho da porção sempre foi uma batalha perdida para as americanas, na realidade um Waterloo gastronômico. Diminua aos poucos, principalmente se seu problema for comer grandes quantidades. Salmão é uma comida saudável excelente, mas, comer duzentos e cinqüenta gramas para sentir-se satisfeita, já é demais. Mantenha a balança à mão e reduza grama por grama, até que quatro ou seis gramas pareçam-lhe uma quantidade satisfatória. Este ponto revela uma tendência grotesca da dieta de proteína. Pode empanzinar-se bobamente com bacon, contanto que pão não passe perto de seus lábios. (Totalmente *dégueulasse!*) (repugnante!) Como regra, duzentos e cinqüenta gramas de qualquer coisa em uma refeição já é demais. Você nem notará a diferença em satisfação, mas a mudança corporal vai surpreendê-la.

Não Estoque Agressores

Algumas comidas são ingeridas automaticamente, em qualquer quantidade que esteja a nosso dispor. Por que não nos contentamos com apenas um punhado de nozes? Não as tenha em casa! Quase nenhum de nós vai sair apenas para comprar um saco de nozes ou de batatas fritas. Se tiver em casa e sempre for pegar mais um pouco, tente aplicar o princípio de diminuição progressiva. Se o primeiro punhado for de seis, faça com que seja o limite. Na próxima vez, tente parar com três ao dia.

Substituição e Tranqüilizadores

Sabendo que meu maior problema eram os doces, o Dr. Milagre deu-me uma receita que satisfazia com apenas uma fração de calorias. Como todas as suas boas receitas, tem sido útil até hoje.

TORTA DE MAÇÃ SEM MASSA

4 porções

Essa receita para torta de maçã sem massa é menos doce – menos em calorias –, porém mais nutritiva do que as que encontramos em lojas de doces, delis ou supermercados. A versão feita em casa *versus* a comprada pronta: um universo de diferença. Leia as etiquetas e comece a evitar as comidas cujos ingredientes pareçam armas químicas.

INGREDIENTES

4 maçãs de tamanho médio
2 colheres (sopa) de suco de limão
4 folhas de repolho
1 colher (sopa) de açúcar
1/4 de colher (chá) de canela
Pedacinhos de manteiga

1. Descasque e corte a maçã em quatro; parta cada quarto em três e salpique com suco de limão, coloque as maçãs nas folhas de repolho, fazendo com que os pedaços assemelhem-se a uma pequena torta.
2. Preaqueça o forno a 275°, misture o açúcar com a canela e salpique quase tudo sobre os pedaços das maçãs, deixando um pouco da mistura para cobrir os pedacinhos de manteiga. Asse a torta no forno preaquecido por 15 minutos, sirva quente ou na temperatura ambiente.

Não precisa comer as folhas de repolho, embora possa fazê-lo. Elas servem para a apresentação e não afetam a torta. Depois dos seus três meses, pode voltar a comer uma fatia da torta verdadeira com *pâte brisée* (massa podre).

Enfrentando Nossos Pequenos Demônios

Prudência é geralmente a melhor parte da coragem. O Dr. Milagre propôs que eu evitasse os problemas, no meu caso os doces, assim como uma criança é ensinada a não entrar em uma briga. Seria melhor, disse-me, se no começo eu fosse para a universidade sem dinheiro ou com apenas o suficiente para o metrô ou para pagar uma xícara de café. Para mim, evitar as lojas de doces significava também variar meu trajeto. Se você vai a pé para o trabalho, não faça o mesmo percurso todos os dias; variar o ambiente é tão importante quanto a variedade na nutrição. O Dr. Milagre conhecia bem Paris e poderia me testar sobre todos os monumentos, praças públicas e edifícios onde pessoas famosas viviam (Gertrudes Stein, na rue Fleurus, ou Edith Wharton, na rue de l' Université). Eu me imaginava entrando pelas grandes portas de cada *hôtel particulier* (residência suntuosa) no meu caminho para a Sorbonne. Nenhuma pessoa da minha família tinha estado em Paris a não ser em uma breve visita, portanto não entendiam como eu me apaixonara pela grande cidade.

Se seus agressores não estiverem expostos nas ruas ou se suas ruas não são tão atraentes, tente estimular seus outros sentidos. Uma das coisas que me atraía nas "*patisseries*" (confeitarias) era o cheiro divino das iguarias. Comprar algumas flores perfumadas era não apenas um presente, mas também uma defesa. Costumava cheirá-las quando me aproximava de alguma padaria. Como o cheiro é a metade do gosto, é difícil ter vontade de comer doce quando não se sente o odor. Um sachê com fragrância de lavanda pode também fazer maravilhas.

Movimentos

Talvez você more em um lugar onde guiar o carro é a norma. Ou talvez você não tenha ocasião de andar todos os dias. Isso não altera o fato de que seu peso seja determinado por duas variáveis: o que consome e o que queima. O Dr. Milagre sabia que eu não gostava de esportes (a maior parte das francesas não gosta), mas, mesmo assim, eu tinha que *me remuer* (tirar a bunda da cadeira). Vinte minutos na ida e vinte na volta da universidade, duas vezes ao dia, era o remédio perfeito para mim. Se você mora muito longe do trabalho ou do colégio para ir andando, tente andar parte do caminho. Ou ande trinta minutos na hora do almoço ou depois do jantar. Uma caminhada não apenas gasta calorias, como pode servir à meditação, refrescando sua cabeça e tornando-a menos vulnerável a comer para encontrar conforto psicológico. O segredo é acrescentar moderadamente ao seu esforço físico diário. Se você usa elevador, tente subir as escadas. No correr da semana, as calorias acrescentadas são relevantes, mas o problema acrescentado é mínimo.

"Nunca Sinta Fome"

Uma das mais sábias prescrições do Dr. Milagre é muito importante nas primeiras semanas de transformação, à medida que seu corpo aprende uma nova palavra de ordem. A fome é atormentadora e desagradável tanto quanto sentir-se empanturrada ou inchada. Você não deve pular refeições, assim como não deve deixar de encher o tanque do carro – só vai prejudicar-lhe mais tarde. Nossa meta não é desafiar as leis da física. Alimente seu corpo razoavelmente e no horário, e a máquina corporal terá menos probabilidade de responder com uma fome gritante. Atenção estrita a este princípio é a chave até que sua mente esteja domada. Um dos segredos vitais do controle da fome, ensinou-me O Dr. Milagre, é o iogurte – não o açucarado, do tipo de supermercado, mas o verdadeiro, filtrado, que tem não apenas textura e sabor especiais, como também bactérias essenciais à sua saúde. Não está prontamente acessível na América, a não ser que você more perto de uma leiteria. Mas você pode fazê-lo uma vez por semana, de acordo com uma receita incrivelmente fácil. O Dr. Milagre receitou-me dois ao dia durante a reprogramação, do jeito que eu preferisse: no café-da-manhã, como sobremesa ou no lanche. Um pouco de mel, germe de trigo ou fruta fresca transformar-se-ia em um regalo, mas, quando comecei a gostar de verdade, preferi *puro*, por causa de sua acidez sedosa e cremosa. Beber um iogurte quando sentia que a fome ia bater era um ótimo pacificador. (Veja a receita na página 114.)

En-Cas (no caso de)

Nós também tínhamos que ter provisões para emergências inesperadas. O Dr. Milagre explicou o que chamava de meu *en-cas* (literalmente, "no caso" ... de um ataque de fome). Era muito simples: Sempre ter alguma coisa no bolso, algo que seu corpo vai registrar como um *minirepas* (refeição ligeira). Não apenas é cômodo como também se revela um poderoso intimidador psicológico. Cala meus *petits démons* (pequenos demônios). Só saber que estava ali deixava-me menos ansiosa, com menos possibilidade de sentir fome. Quando realmente não resistia e pegava o *en-cas*, isso me satisfazia, deixando-me com menos fome para a hora do jantar. Compensação. Ainda levo sempre comigo: um pequeno saco de nozes de soja, que hoje em dia sempre aparece quando meu vôo está atrasado. Deve ser algo que você goste, mas que também satisfaça.

Recompensas de Fim de Semana

O Dr. Milagre sabia melhor do que ninguém que somos seres frágeis em um mundo repleto de tentações. A privação é a mãe do fracasso.

Qualquer programa que sua mente interprete como punição é um programa contra o qual sua mente tende a rebelar-se. Seja qual for seu prazer, um copo de vinho ao jantar ou um croissant no café-da-manhã, você simplesmente não pode privar-se por longos períodos e não deve esperar que seu corpo se vingue. Portanto, mesmo durante a transformação, seu corpo necessita de um Sabbath (dia de descanso). Tenha em mente que não estamos falando em comer tudo o que tiver vontade em um só dia, em que vai consumir tudo de que conseguiu abster-se durante toda a semana. Na verdade, é mais um dia de descanso, quando pode apreciar uma porção civilizada de suas comidas favoritas. Algumas autoridades em dietas aconselham a não encarar a comida como recompensa pessoal, mas eu digo que está certo se a comida for proveitosa: nada de coisas imprestáveis, apenas as que forem saborosas e de boa qualidade.

O Dr. Milagre disse que era melhor dar uma folga no sábado e voltar para o plano no domingo, para começar a nova semana no caminho certo. E, no meu caso, fazia sentido. Na minha época de estudante, era muitas vezes convidada para jantar no sábado em casa de alguns amigos finos em Paris. Tinham cozinheira fixa – um luxo raro em qualquer parte do mundo –, cujos pratos elaborados tornavam difícil escolher entre os meus vícios. (Você pode entender por que eu me apegava a estes amigos!) O Dr. Milagre respondia "*Mais Mireille, fais preuve d'intelligence*" ("Use sua inteligência"). Se um copo de champanhe como aperitivo e uma sobremesa parecem bons demais para resistir, não recuse, mas então não coma pão. Escolher o que é importante para você, este é o segredo da mulher francesa.

Durante a fase de transformação, preocupava-me o fato de que, em algumas semanas, iria para casa nas férias da Páscoa tendo que encarar a elaborada festa de minha família, que era menos prudente do que meus amigos de Paris. Eu já estava no caminho certo e, tendo perdido cerca de quatro quilos e meio, não queria chamar atenção para mim ou para qualquer mudança nos meus hábitos alimentares. Dr. Milagre disse-me que ninguém notaria se eu comesse meu patê, colocado na maior parte dos variados tipos de pães, se pegasse algumas batatas fritas e se comesse sobremesa. No dia seguinte, você compensa, disse-me simplesmente. Estava ensinando-me a ser o mestre dos meus prazeres, assim como de minha abstenção.

Mesmo assim, eu tinha dúvidas sobre o que aconteceria ao longo do tempo. Infelizmente, eram aqueles agressores demoníacos novamente. Sabia que podia mantê-los em rédea curta por apenas algum tempo. Como iria reintegrá-los nos dias de colégio sem me arruinar? Na realidade, eu não estava sofrendo, mas o bom doutor me havia prometido uma vida de mais indulgências. E eu pertencia à geração rebelde de Maio de 1968, cujo slogan de revolta era *"Il est interdit d'interdire"* ("É proibido proibir").

Mas eu aprenderia que a resposta estava nas palavras *petit e peu*, ambas significando "pouco". Pode comer *de tout un peu et de peu pas beaucoup*, significando que podemos comer um pouco de tudo, porém em pequenas porções. Como eu estava orgulhosa dos meus resultados, mas começando a sentir-me um pouco desprivilegiada, o Dr. Milagre fez um pequeno ajuste: duas vezes na semana ao almoçar – que geralmente era em um café na esquina, com amigos que, como eu, não suportavam a comida do *restaurant universitaire* (a lanchonete da universidade), eu poderia comer um pedaço pequeno de chocolate amargo (*un palet* ou *carré*) que viesse com meu expresso. Podia escolher os dias, mas não mais de duas vezes por semana. Aprenda a escolher seus momentos. Depois de uma prova difícil na manhã, eu sempre sentia necessidade. Também depois de um exercício de declamação na frente da classe! Era um pequeno ajuste que, psicologicamente, deu-me uma grande força. E foi minha primeira incursão no campo de uma lenta recalibragem. Pequenas mudanças podem fazer grandes diferenças a longo prazo.

Síndrome do Fecho ecler

Quando a Páscoa chegou, minha transformação era completa. E senti que as coisas novas tinham se tornado naturais. Até hoje, não me lembro daquele tempo como uma época de privação insípida. Mas o que eu havia conseguido? O que você espera conseguir? Tinha perdido uns cinco quilos, quase a metade do que eu precisava perder. *Mais attention* (Atenção!) – Não me pesava todos os dias para acompanhar meu progresso. Balanças não são comuns em banheiros franceses como são na América. E podem ser desanimadores índices de progresso. Uma mulher engorda com retenção de água durante parte do mês. Nosso peso pode variar por outras razões também (hora do dia, por exemplo) que pouco têm a ver com o fato de estarmos ou não comendo com equilíbrio. Eu confirmava a perda de quilos de tempos em tempos, mas principalmente aprendi a ficar mais atenta à aparência e a sentir o corpo nas minhas roupas. Podia ver que estava mudando. E quando a balança registrou a perda de seis quilos, estava apenas confirmando o que eu já parecia saber. Ainda acho que conseguir entrar em uma calça justa seja a melhor indicação de quilos desaparecendo – mais fácil, mais confiável, mais sexy. Use o que as francesas chamam de *le syndrome de la fermeture éclair* (síndrome do fecho ecler), ou use uma fita métrica.

Seu peso de equilíbrio, como já disse, é muito pessoal, dependendo de muitos fatores como idade, biótipo e, para algumas, até da época do ano. Do mesmo modo, melhoras são relativas, não absolutas. Assim como as francesas não contam calorias, em geral não contam quilos. Depois de três meses de reprogramação, você vai adquirir um sentido de quão longe você ainda terá que ir. Se sentir que chegou na metade de sua meta, sua transformação foi um sucesso. Caso contrário, veja o quanto já percorreu e continue por mais algumas semanas. Cuidado com as metas irreais – não podemos todas ser magras como modelos. Faça algumas barganhas – uma maior redução de alguns agressores (que, com certeza, será mais fácil se já foi feito anteriormente) ou dez minutos adicionais de caminhada por dia. Ajustar aos poucos sempre é a chave para chegar ao equilíbrio.

Para dominar completamente este estilo de vida, é necessário que você adote a regra de qualidade em vez de quantidade. Aprender a cultivar a qualidade é o que vamos considerar nos próximos capítulos, quando estudarmos estabilização – uma época em que, visivelmente, você estará apreciando mais prazeres e, ainda assim, perdendo peso. No entanto, vamos primeiro ver a transformação em curso para algumas mulheres americanas que conheço.

4

AS HISTÓRIAS DAS TRÊS Cs

Vamos rever alguns dos princípios básicos da transformação:

- Estude seu perfil de três semanas: identifique e reduza os "agressores" o quanto puder, sem ser induzida a um choque. Seja o que for que conseguir cortar completamente sem agonia, faça-o. Reduza outras coisas *peu à peu* (pouco a pouco).
- Coma sempre no horário certo.
- Verifique as porções de comidas não-agressoras e reduza-as gradualmente também.
- Procure conhecer um mercado, não um supermercado. Faça as compras pessoalmente, diversas vezes na semana (na base do coma o necessário, mas nunca quando estiver com fome).
- Diversifique suas comidas tendo em foco sempre as estações. Aumente a proporção de frutas frescas e legumes.
- Comece a usar e experimentar novos sabores.
- Prepare suas próprias refeições. Desista de comidas prontas, principalmente as que são processadas com qualquer coisa que seja artificial.

- Tome um bom café-da-manhã.
- Coma devagar e sempre sentada. Mastigue bem, mesmo que no começo pareça teatral.
- Coma diariamente duas porções de iogurte feito em casa, como sobremesa, no café-da-manhã ou no lanche.
- Beba pelo menos mais dois copos de água por dia e sempre mais, quando tiver oportunidade.
- Comece a fazer um pequeno, porém regular exercício físico, um passeio diário ou subir escadas. (Se freqüenta academia, já está provavelmente usando sempre um collant, portanto faça alguma coisa com roupa normal.)
- Não estoque agressores em casa.
- Faça uma lista e um estoque de pacificadores da fome, substitutos de agressores.
- Guarde seu *en-cas* no bolso para pequenas emergências.
- Escolha e aproveite suas recompensas de fim de semana.

Como costumo dizer, isso não é radical. Mas, para algumas pessoas, pode ainda parecer um pouco abstrato agora (a tendência para abstração é reconhecidamente uma fraqueza francesa), portanto vamos ver a transformação ao vivo. Permita que apresente algumas amigas, as três Cs.

CAMILLE

Camille, com trinta e cinco anos, já vinha lutando com o peso durante toda a sua vida. Não era obesa, mas, com sua altura (um metro e cinqüenta e poucos centímetros), aqueles doze quilos extras chamavam a atenção; ela se achava e parecia rechonchuda. Em determinados períodos de sua vida, tentava todas as dietas que apareciam. No final, por conclusão própria, o problema era simplesmente genético: o excesso de peso era comum na família. Sua mãe, principalmente, sempre tinha sido gorda. Portanto, no seu íntimo, Camille acreditava que todas as suas tentativas para perder peso estavam fadadas ao insucesso.

Camille entrou na Clicquot quando adquirimos uma nova firma; tinha excelente preparo em negócios e muita experiência. Entretanto, o mundo corporativo pode ser brutal e injusto, principalmente no campo de artigos de luxo, onde a imagem é primordial. Em todas as corporações, a aparência conta muito mais para as mulheres do que para os homens. O trabalho de Camille exigia viagens regulares pelo país, incluindo jantares com clientes. Já estava conosco há um ano quando tornou-se óbvio que seu primeiro inverno em Nova York não tinha sido um bom ajuste. Roupas pesadas de inverno haviam escondido certos excessos, mas, quando a primavera chegou, senti um pânico aflorando quando uma nova seqüência de viagens e entretenimentos aproximava-se. Tínhamos desenvolvido uma boa amizade e, um dia, perguntei-lhe o que estava acontecendo e ela se abriu. Contei-lhe da calamidade que eu havia sofrido quando jovem por causa do excesso de peso e como agora era capaz de reverter a situação com apenas algumas mudanças. Ela concordou em anotar o que consumia durante três semanas.

Não recomendo tirar conclusões precipitadas, mas bastou um simples olhar para as três primeiras frases para detectar alguns grandes agressores. O primeiro era a cerveja. Parecia que Camille ficava com "sede" todas as noites, estivesse em casa ou fora da cidade. Então, tinha que ter uma garrafa de cerveja, geralmente por volta das onze horas da noite. Beber cerveja tarde da noite parecia-me uma coisa estranha, principalmente para alguém que normalmente, nos restaurantes, tomava vinho nas refeições. Será que Camille tinha um problema com bebida? Não, sua consumação de álcool não era excessiva e não dava indicação de tal problema. Perguntei-lhe há quanto tempo essa história de cerveja vinha acontecendo. Aparentemente, desde os tempos de colégio; ela comprava coisas salgadas na máquina enquanto estudava e comia-as na cama tomando cerveja. Depois de pensar um pouco, admitiu que, na realidade, não gostava daquilo: era apenas um hábito e porque sentia "sede". Estava claro que, sem sentir, havia importado um velho hábito escolar para sua vida adulta e o havia mantido por quase quinze anos! Sempre acostumada a tentar a coisa mais óbvia primeiro, perguntei: "Se está com sede por que não bebe água e então vai para a cama?" Isso parecia uma solução que poderia significar entre dois a cinco quilos depois de alguns meses, se ela apenas reconhecesse e domasse aquele agressor. Mas não era tão fácil. Ela não era apaixonada pelo sabor e pelo prazer da cerveja, mas queria algo mais interessante do que água. Surpreendentemente, os chás de ervas foram a solução. Seus favoritos vieram a ser verbena e hortelã, ambos suaves substitutos para o efeito sedativo da cerveja na hora de dormir. Ela estava ansiosa por testar novos tipos de chá e tornou-se uma perita nesta arte. Demorou mais para beber a velha e pura água durante o dia – fundamental para reduzir a sede noturna. Então, sugeri que todas as vezes que passasse pela geladeira pegasse um copo de papel e enchesse de água. Quando o efeito passou a ser evidente, ela começou a fazer isso mais vezes.

O outro problema era o trabalho. Aceitava a comida servida no avião, *apesar* de já ter jantado na cidade. Aparentemente, qualquer coisa que as aeromoças colocavam na sua frente – nozes, carnes misteriosas, fartas sobremesas – ela comia (conhece alguém que faça isso?), mesmo com um jantar de negócios ou um almoço marcado para logo depois da aterrissagem. Este agressor era fácil de ser extirpado. Ela sabia que a comida de avião era horrível. Será que estava comendo por tédio? Para passar o tempo? De qualquer modo, aconselhei-a a comer um pequeno sanduíche antes de embarcar e levar uma garrafa de chá gelado de ervas que tivesse preparado na noite anterior. Se bebesse o chá durante o vôo, enquanto ouvisse seus próprios CDs (não a música de avião), ela passaria o tempo satisfeita; poderia até dormir a bordo, pela primeira vez em sua vida. (Eu também faço isso: seja qual for o assento, o segredo é sorver líquido na cabine pressurizada, o que também é bom para o cabelo crespo, e para pouca coisa mais.)

Seu terceiro agressor era um pouco mais complicado. Algumas vezes na semana, principalmente nos fins de semana, ela comia um enorme prato de massa ao jantar. Disse-me que achava ser a coisa mais fácil de fazer e ainda ter o conforto de cozinhar em casa. Esta era a voz da inexperiência. Obviamente, há outras mil maneiras de evitar a melancolia das noites de domingo. O problema exigia uma dramática abordagem – nada de massas em casa por algum tempo. Mas isso significava descobrir coisas para cozinhar que fossem igualmente satisfatórias e fáceis. Como era primavera, os mercados nas ruas de Nova York eram um achado dos deuses. Indiquei-lhe maneiras simples e deliciosas de cozinhar rabanetes, funchos, brócolis e cenouras com acompanhamentos como salsa picada e suco de limão. Os sabores de legumes frescos na estação deixaram-na encantada. Qualquer pessoa que já comeu um tomate fresco de fazenda pode atestar que, com um pouco de sal e azeite de oliva, e ainda salsa picada ou manjericão, vale como uma boa refeição. Escolher os alimentos no seu próprio momento e a seu bel-prazer fez com que ela descobrisse ser maravilhosamente fácil aumentar sua dose de frutas e legumes. Seguindo uma simples receita de salmão (página 71) – que, como novata na cozinha, nunca havia tentado antes –, estava tendo em casa uma refeição que parecia excelente segundo qualquer padrão de restaurante. Ela também achou vinte minutos para andar todos os dias (depois do trabalho, porque não gostava de acordar cedo). Normalmente, teria que fazer baldeação, mas passou a pegar somente o metrô, andando a pé o resto do caminho.

Depois de três meses, tinha perdido cinco quilos. Em uma pequena moldura, já era um excelente quadro. E à medida que gostava das mudanças que havia feito, não parecia em perigo iminente de engordar de novo. Na verdade, estava ansiosa para experimentar diferentes maneiras de perder o resto dos quilos sem sofrimento. Notei algumas roupas novas, uma autoconfiança que nunca vira antes e um rosto mais feliz. Os outros também notaram.

CAROLINE

Caroline era de uma geração mais velha e eu a conhecera em um seminário para mulheres líderes executivas. Durante a maior parte de sua vida, nunca tomara um café-da-manhã completo; em vez disso, fumava um ou dois cigarros e tomava uma pequena xícara de café com duas colheres de açúcar. Isso também parecia um velho hábito escolar, embora os anos colegiais de Caroline já estivessem muito longe. Agora, deixara de fumar definitivamente – depois de muitas tentativas fracassadas – e ficava morta de fome pela manhã. Engordara uns cinco quilos no ano passado e parecia disposta a aceitá-los, embora sem jeito, com a inevitável desculpa de ter parado de fumar. Seu café-da-manhã sem cigarro não tinha melhorado muito: um copo de suco de laranja dos de caixa de papelão (um artigo de açúcar puro), duas xícaras de café com duas ou mais colheres de chá de açúcar em cada uma (café com açúcar, que idéia!) e dois biscoitos (mais açúcar). Não apenas doce demais, mas também, sem graça. O diário também revelou seu gosto para pratos com muito molho, coisa estranha, dado ao clima relativamente fresco.

O resto de seu padrão de comida não era tão ruim. Embora ela sofresse do problema extremamente comum de não comer frutas e legumes e de não beber água. Seu principal agressor era o açúcar em diversas formas, aparente ou escondido. Nunca podia ficar sem sobremesa e essa fraqueza eu entendia muito bem. Menos típico era seu amor por queijos. Como viajara muito com seu marido, tinha um apurado sentido de qualidade, preferindo alguns que não são muito conhecidos pela maior parte das americanas. (Agressores não podem ser pessoais demais.) Mas não tinha aprendido qual a porção apropriada. Aqui é que a balança entra em cena: noventa gramas é muito melhor do que duzentos e quarenta.

Mudar os hábitos do café-da-manhã não foi fácil. Algumas de nós não conseguem começar o dia sem café e não podem beber café sem açúcar. No entanto, isso decorre do fato de usar um produto de má qualidade: instantâneo, congelado a vácuo ou requentado. Poucos cafés precisam de açúcar, quando os grãos são frescos e moídos na hora, embora ainda possam requerer um certo ajuste. Com um moedor de café barato, precisamos apenas de trinta segundos extras para conseguir um pote de pó aromático e delicioso. Caroline conseguiu diminuir o açúcar progressivamente para meia colher de chá por volta da terceira semana. Eliminou o suco de laranja gradualmente – um terço de cada vez, em três semanas –, substituindo-o por uma fruta mais tarde, durante o dia. Os biscoitos deram lugar a uma fatia de pão integral com um pouco de manteiga. (As pessoas que nunca sonharam com manteiga no café-da-manhã não entendem o luxo que uma pequena quantidade pode dar.) E para dar-lhe alguma coisa que fizesse com que agüentasse até o almoço, acrescentamos iogurte, primeiro com um pingo de mel de acácia, que já sugerira, e depois sem nada. Claro que, agora, ela estava encarando o café-da-manhã como um ritual de autogratificação, em substituição àquele carregado de açúcar. Isso a deixava com um humor excelente para encarar o dia.

Sobremesa no restaurante era um desafio. Como muitos nova-iorquinos, ela e seu marido comiam fora várias vezes por comodidade e sempre havia uma doce tentação. Felizmente, era verão, e morangos frescos, melões e figos não pareciam um sofrimento, principalmente quando servidos com um bom iogurte – como acontecia no seu restaurante grego preferido. Mas, quando havia uma sobremesa apetitosa, não era preciso lutar contra seu desejo. Bastava pedir uma e lentamente saborear duas ou três garfadas. O resto poderia passar para o marido ou para os amigos: "*Eles* que comam o bolo!"

A atração por molhos elaborados foi mais difícil. Na realidade, um de meus amigos explicou-me quando notei sua preferência durante um jantar fora em Paris. O hábito de fumar deixa um verdadeiro estrago nas membranas mucosas do olfato e a recuperação é lenta, mesmo quando já deixamos o vício. Como os cheiros são mais solúveis em pratos gordurosos, as papilas gustativas naturalmente encontram mais satisfação quando o aroma, que é o componente do sabor, for um pouco diminuído. Então, para não privá-la do prazer, era importante reduzir esses pratos gordurosos muito lentamente e Caroline concordou assim que compreendeu o problema. O olfato também explicava sua excessiva indulgência com queijos fortes. Quando alguém está jantando na casa de amigos na França, o prato de queijo é o único que pode ser polidamente recusado. No entanto, como isso era educado demais para o gosto de Caroline, ela começou a diminuir gradualmente. Começou também a cozinhar com sabores mais fortes – açafrão, curry, pimentas quentes –, de forma que ficasse mais difícil para seu paladar ou para seu olfato, aos poucos recuperados, não perceberem. Com o passar do tempo, sabores mais suaves voltariam à ação.

Caroline começou a subir e descer os seis andares do seu apartamento sempre que não estava carregando nada e a andar vinte minutos três vezes na semana. Não encontrou problemas em movimentar-se como uma francesa típica. Seis quilos desapareceram em dez semanas e teve que reconhecer que, longe de sentir-se despojada, estava mais feliz do que nunca. As mudanças que Caroline fez parecem privações para você?

CONNIE

O caso de Connie foi um pouco mais complicado. Estava com vinte e poucos anos e não tinha noção do que estava comendo. Crescera no meio-oeste suburbano, onde o abastecimento de comida era um caso de duas vezes ao mês, quando sua mãe enchia a geladeira, a dispensa e, principalmente, o freezer com provisões para as próximas duas semanas. Gêneros alimentícios eram apenas alguns itens em uma lista de compras que incluía papel higiênico e sabão. Por sua conta, Connie comprava as mesmas marcas de pratos gelados que eram as preferidas de sua mãe. O jantar feito em casa era um ritual de domingo, a única refeição compartilhada *en famille* (com a família). Durante a semana, cada um comia de acordo com sua agenda (seus pais eram advogados). A mãe de Connie tinha um monte de receitas que usava repetidas vezes. Representavam os confortos do lar, então tornaram-se a única coisa que Connie atrevia-se a cozinhar quando convidava amigos para sua casa. Além disso, tinha um amor imperdoável por todos os rótulos americanos: burgers, pizza, queijo cheddar, lasanha. Doces de supermercado e potes de sorvetes estavam sempre à mão, porém nada de frutas ou de legumes. As bebidas eram refrigerante, *mais* refrigerante, e *sempre* refrigerante. Um cenário não muito bonito. A geladeira estava entulhada de garrafas gigantes de refrigerante, tanto o normal quanto o diet. Então, quando não estava enchendo seu corpo de açúcar, estava sorvendo uma terrível mistura de agentes químicos.

Quando nos conhecemos, ela estava iniciando sua carreira em Nova York e, pela primeira vez, tentando desesperadamente perder peso – quase oito quilos. Estranhamente, não achava que tinha excesso de peso quando usava o uniforme de colégio, o que, como todos sabem, já é muito mais revelador do que há alguns anos. Mas, agora, com roupas profissionais mais modernas, não se sentia *soignée* (palavra minha, naturalmente, não sei a dela, e quer dizer arrumada). Conheci-a trabalhando em um projeto com outra firma e, quando a convidei e saímos para almoçar, olhou-me obviamente espantada quando comi de tudo e ainda bebi uma taça de Veuve Clicquot. Quando trouxeram o café, perguntou timidamente: "Posso fazer uma pergunta muito pessoal?" Eu sabia o que vinha pela frente e encorajei-a a fazê-la. Como muitas outras mulheres jovens, havia tentado várias dietas de grande privação sem sucesso duradouro. Na última tentativa, um caso de estrita proibição de carboidrato, tinha comido porções incríveis de queijo, bacon e ovos – alguns de seus favoritos. Finalmente, fazia qualquer tipo de dieta que aparecia e, sem falhar, o único resultado duradouro era um apetite maior para as coisas que a dieta permitia. Também tinha tentado e fracassado em queimar peso por meio de exercícios punitivos. Alguém lhe dissera que, se passasse horas em alguma máquina, seus hábitos alimentares não teriam importância. Connie havia acabado de pagar três meses de academia com cada centavo que sobrava do aluguel. Nunca deixei de maravilhar-me com a força de vontade das americanas, que preferem ficar horas em uma esteira a fazer pequenos ajustes sem sofrimento. Connie tinha perdido alguns quilos, mas seu regime diário na esteira era como se estivesse trabalhando em uma cadeia de trabalhos forçados e ela deixou a academia em poucas semanas, conseqüentemente ganhando os quilos de volta.

Sugeri que continuasse a freqüentar a academia, já que havia pago e provavelmente odiar-se-ia por um gasto em vão. Mas aconselhei moderação: meia hora de algo aeróbico três vezes por semana, não mais que isso, e nunca repetir os mesmos três exercícios na mesma semana. Também teria que mudar alguns hábitos alimentares o mais rápido possível. Como estava no final do inverno, a Sopa Mágica de Alho-poró parecia absolutamente indispensável. Eu achava que seria um pouco mais difícil para alguém não acostumado àquele tipo de comida, mas considerei que seria bom, para seu astral, ter uma resposta rápida. Na manhã da segunda-feira seguinte, já tinha conseguido perder o equivalente a duas semanas de trabalhos forçados na academia. Um quilo – a maior parte de água, é bem verdade, mas, mesmo assim, um quilo – fora perdido. Na realidade, foi um incentivo para o seu espírito, mas algo mais notável ainda aconteceu: ela descobriu um novo prazer. "Não acredito como alho-poró pode ser tão saboroso! Estou amando de paixão!", disse-me ela. Até eu fiquei um pouco surpresa. De fato, muito depois de seu primeiro fim de semana comendo como uma francesa, Connie, de tempos em tempos, voltava prazerosamente a tomar sopa de alho-poró no almoço.

Connie descreveu os três primeiros meses como superfáceis, praticamente divertidos. O jeito de cozinhar que ensinei foi para ela uma deliciosa novidade. O inverno é uma época maravilhosa para comidas saborosas e ela gostava principalmente do luxo do meu Frango ao Champanhe (página 135). Mas as frutas e os legumes também eram excelentes: ela gostou muito das pêras em calda – não acreditava como uma sobremesa sem gordura, que pode ser feita em oito ou dez minutos, pudesse ser tão gostosa! (Basta colocar as peras em uma panela de água fervendo com vinho tinto e um pouquinho de canela e açúcar e deixar esfriar. (Veja a receita na página 108). Ela até serviu para as amigas, que ficaram loucas. Como sua dieta tinha sido de coisas que engordavam muito, de acordo com tudo o que verifiquei, as substituições que fez tiveram um efeito muito rápido. Seguindo as regras, nunca mais permitiu-se sentir fome; e para que obtivesse satisfação máxima, tentamos trocar as comidas com grande dose de gordura por aperitivos – punhados de nozes nutritivas e saborosas e pequenos cubos de queijo. No que se referia às novas aventuras na cozinha, mudou para comidas com muito menos gordura, mas com muito mais sabores antes desconhecidos – óleo de anis ou soja, em vez de azeite de oliva no mesclun.* E também, garota de sorte, não sentiu nem falta dos hambúrgueres e das pizzas. Ainda comia uma ou duas vezes na semana quando jantava fora, mas, devido à sua crescente noção de possibilidades, elas começaram a parecer sem graça demais para comer com mais freqüência. E, com o tempo, até o controle da porção de agressores tornou-se automático. Depois de um mês, duas fatias de pizza no almoço, antes "habituais", passaram a parecer pesadas e gordurosas. Os refrigerantes diet não foram mexidos, mas também não chegavam a ser um problema imediato; deixei que ela mesma fosse cansando aos poucos, substituindo-os por um pouco de suco de frutas frescas diluído em água mineral gasosa. (Às vezes, é mais saudável adicionar algumas calorias em favor da qualidade.)

Connie teve sorte, pelo fato de conseguir desistir dos agressores e fazer substituições. Seu caso mostra a importância de valorizar-se como pessoa, em vez de seguir uma dieta. Cada uma de nós tem forças e fraquezas. O que para você é relativamente fácil pode ser difícil para outra pessoa ou vice-versa. E, claro, o que lhe agrada pode não agradar tanto outra pessoa, ou, como dizemos na França, *à chacun son gôut* (cada qual com seu gosto).

Uma coisa que realmente agradava Connie, à medida que aprendia o sentido da comida, era a apresentação. Durante o verão havia trabalhado para um famoso chef cujas criações para casamentos e outros eventos tinham que ser não apenas deliciosas, mas com aparência deslumbrante... A atenção ao detalhe tinha aguçado a personalidade meticulosa de Connie e também aberto seus olhos para o que os franceses chamam de *menu* – não apenas uma lista de opções, mas uma seleção de pequenos pratos. A seqüência da comida ou sua arrumação no prato podem às vezes afetar drasticamente nossa experiência, principalmente nosso senti-

**Nota da Tradutora:* Folha verde usada em saladas.

do de uma porção apropriada. Um carpaccio de atum exposto com arte pode gerar muito mais satisfação ao ser ingerido do que a mesma quantidade espalhada no prato como comida de cachorro. Isto faz parte dos *rites de la table* (rituais da mesa), que abordo no capítulo a seguir.

Depois das três primeiras semanas, Connie tinha perdido dois quilos e já estava cheia de nova energia. Seu humor mudara também. Dois quilos para a aparência da maior parte das mulheres são significativos, e ela começou a ver que já entrava em suas roupas. Na mesma hora, quis comprar alguma coisa em uma medida abaixo, mas eu a convenci a esperar. Se a experiência fosse alguma indicação, muito em breve ela estaria usando um tamanho ainda menor.

ET ALORS? PRONTA PARA COMEÇAR

Três exemplos não bastam como receita para o sucesso. Mas esta é a questão: nesta estratégia para emagrecer e ser saudável *à la française*, não há receitas e sim ingredientes. Assim como a boa cozinha, o resultado vai depender do que você usa e do que lhe agrada. Há alguns elementos que se aplicam a todos os casos; andar um pouco mais, beber um pouco mais de água, por exemplo. Mas, em geral, a abordagem é imperdoavelmente individualista e sempre vai depender de experiência e de erros. O segredo é cultivar sua própria intuição de agressores e prazeres e ajustar cada um de acordo com os níveis que lhe convenham. (Considere isso seu voto para o ideal franco-americano de liberdade individual sobre o regime tirânico de dietas radicais.) Por esta razão, três meses é o tempo normal para descobrir seu caminho. Mas você tem que gostar da viagem. Três meses de dieta pesada podem ser o suficiente para enfraquecer o ânimo de qualquer mulher, mas três meses descobrindo coisas novas e aprendendo a conhecer melhor seu corpo representam um prêmio para si mesma que vai continuar a valer a pena durante os anos vindouros.

Não julgamos nem vamos julgar nossos sucessos por obsessiva atenção a calorias, carboidratos, proteínas, gorduras, lipídios, glicose ou outras estruturas químicas ou unidades. A maioria das francesas não é como Madame Curie e chegaria a chorar de aborrecimento se lesse sobre isso e muito menos iria aplicá-los a uma das partes mais sagradas da vida: a comida. Lembre-se de ir na ponta dos pés para a balança do banheiro só de vez em quando, jamais diariamente. Julgue seu progresso com os olhos e as mãos, usando suas roupas e seu espelho como guias. E use a balança de cozinha para começar a conhecer porções de dez a quinze gramas, seja do que for; peixe, carne ou sobremesa, principalmente torta ou bolo!

Atingir seu peso de equilíbrio (*bien dans ta peau*) é uma progressão intuitiva, um curso de fina adaptação que envolve tanto descoberta quanto moderação.

Fico feliz em relatar que, anos mais tarde, Connie está ótima e pronta para aparecer nas páginas de *Vogue*. Caroline tem mantido seu equilíbrio, talvez alguns quilos a menos do ideal que marquei, mas está feliz. E Camille? Nunca mais a vi e, às vezes, fico imaginando. Das três, foi a que sentiu-se menos feliz para iniciar o programa, muito dependente de comida como terapia e usando a hereditariedade como desculpa. Mas se manteve seu novo otimismo, apostaria que agora está bem.

Se você já leu até aqui, creio que aprendeu estratégias suficientes para começar a transformação, mas temos ainda muita coisa pela frente.

Vamos lá!

INTERVALO:
ESTABILIZAÇÃO E COMER PARA VIVER

Manger Bien et Juste
(Comer Bem e Comer Certo)
Molière

Seus três primeiros meses devem levá-la, pelo menos, ao meio da jornada em direção à meta do equilíbrio do peso, até um pouco além, se sua transformação tiver alvos modestos. Mais uma vez, deve prestar atenção a si mesma: olhos, compleição, estado de espírito e, acima de tudo, roupas – elas ditarão em que ponto você está. Se já chegou lá – e só você pode dizer com certeza –, bravo! Você está pronta para a estabilização. Se, no entanto, acha que ainda não atingiu o meio do caminho, deve ampliar sua transformação até achar que está bem. Uma boa costureira sempre vai pedir para fazer vários ajustes; a cada vez, as alterações tornam-se mais sutis. Se continuar a transformar-se, veja em que ponto pode estar preparada a "tirar um pouco" em favor da continuação do progresso. Mas sempre tenha em mente as regras principais: *Fais-toi plaisir* (Tenha prazer e divirta-se); vá reduzindo o que puder *peu à peu* (pouco a pouco). Embora tenha alcançado alguns níveis de consumo considerados irreais três meses antes (por exemplo, duas fatias de pão por dia), sua felicidade poderá aumentar se até esta porção diminuir (uma fatia). Experimentar é a única maneira de saber quão pouco necessita para sentir-se satisfeita.

Assumindo a transformação com sucesso, você estará pronta para começar a aumentar a fração das coisas que gosta. Está pronta para a estabilização. Mais uma vez, isso é governado inteiramente pela compreensão de sua análise pessoal de "custo-prazer e benefício". Pode sentir-se orgulhosa por estar comendo apenas sobremesas que não engordam durante três meses, como fiz com a orientação do Dr. Milagre. Mas agora você gostaria de saborear algo ultradelicioso com um pouco mais de regularidade (não apenas no fim de semana). Adivinhe o que seria: Você merece! Três semanas de progresso estável devem coincidir com um maior conhecimento de seus apetites e de sua nutrição. Agora, sabe bem do que gosta e por quê. Portanto, é mais do que justo e de acordo com o princípio do nosso prazer que você tenha uma recompensa. Isso quer dizer que vai parar de perder peso? *Pas du tout* (De jeito algum). Se isso acontecer, apenas pare e faça alguns cortes, até mesmo um fim de semana de mágico alho-poró, se houver necessidade de "atitudes drásticas". Mas se abrir o leque tão cuidadosamente como fechou, você pode facilmente continuar a emagrecer enquanto saboreia um pouco mais das coisas de que gosta mais. "A única maneira de livrar-se de uma tentação é ceder", observou Oscar Wilde (que morreu em Paris). Bem, ele tem razão até certo ponto. Comer é um prazer sensual; portanto, depois de três meses, é natural que você queira um pouco mais de emoção à medida que se estabiliza para o resto da vida. Como? Simplesmente tirando de Pedro para dar a Paulo. Quando acrescentar uma indulgência, faça uma redução correspondente para compensar. Acrescente mais meia hora andando a pé no dia seguinte. Não tome o coquetel. Passe adiante o cesto de pão. Assim como tem noção de onde vêm seus maiores prazeres, também tem que aprender quais são as melhores compensações para você. Mantenha seu equilíbrio semana após semana. As francesas sabem por instinto, mas, como todo truque de mágica, é apenas uma questão de prática. O segredo para continuar a perder peso é manter sua compensação um passo ligeiramente à frente de suas indulgências. A prática francesa de "iludir-se" vai ajudá-la a aumentar sua impressão de prazer e, se fizer corretamente, *voilà*: as compensações vão parecer triviais. O efeito final é uma sensação de contentamento e nunca de privação. Sua mente tem que ser sua parceira para manter o equilíbrio de seu peso e, como todos os filósofos concordariam, você não poderia ter um aliado mais poderoso neste jogo.

Mas não deixem que eu me perca no abstrato: a chave para o novo progresso e uma vida inteira de alimentação saudável está na profunda compreensão do que as francesas sabem. Vocês, até agora, tiveram francês para principiantes: está na hora de passar para os próximos níveis.

5

PRECISAMOS DE RITUAIS

O Pequeno Príncipe, de Saint-Exupéry, é um livro que todos os franceses conhecem bem. Pode ser lido em uma hora, mas está repleto de sabedoria infinita. Em *O Pequeno Príncipe*, a raposa explica para o pequeno príncipe, "*Il faut des rites*" ("Precisamos de rituais"). Como os franceses sabem muito bem, ritual é a maneira como damos significados aos diferentes aspectos de estarmos vivos, incluindo os mais elementares: nascimento, casamento, morte e através disso tudo, até o fim, comida. Há, é claro, o ritual de feriados, como la *galette des rois* (bolo de reis), que se come doze noites depois do Natal para comemorar os Três Reis Magos. Mas existem também rituais cotidianos pelos quais a civilização define-se como *le pain quotidien*, nosso pão de cada dia, ou até escovar os dentes. Estejamos ou não conscientes, gastamos a maior parte das horas em que estamos acordados cumprindo rituais diários.

Em um mundo que continua a mudar cada vez mais rápido, esses rituais são um marco e também uma fonte de conforto e segurança. São igualmente o segredo para nosso bem-estar, parte de nossa programação cultural sobre o que é bom e correto, as normas pelas quais formamos nossos gostos. Os americanos têm alguns rituais gastronômicos soberbos. Nada francês pode competir com um churrasco de hamburgers em uma tarde de domingo no verão. (Na verdade, muitos franceses adoram hambúrgueres, bem como filé de lombo de vaca: alguns até gostam de espiga de milho cozido, embora na França sejam geralmente reservadas para o gado). Mas a América é um país relativamente jovem pelos padrões europeus e, sendo uma grande nação de imigrantes, é muito menos uniforme em relação a normas gastronômicas, embora esta quantidade de influências tenha produzido resultados assaz deliciosos. A América ainda é lenta no desenvolvimento de escolha de princípios coerentes de comer, o que apenas se adquire com mil anos de história. Até entre as mais antigas nações da Europa, a França distingue-se pela evolução de seus rituais gastronômicos. Onde mais você seria levada a calorosos debates sobre se os melhores bolinhos de amêndoas são encontrados na confeitaria Ladurée, no Fauchon ou no Pierre Hermé? A intensidade ainda traz um sorriso debochado ao rosto de meu marido americano Edward. Qualidade é uma paixão, diria até, uma compulsão.

No fim do século XVIII, quando a burguesia superou a aristocracia, nasceram *les arts de la table* (as artes da mesa), um novo código governando tudo, desde os arranjos para os lugares à mesa até a apresentação e os princípios da harmonia do sabor – nosso sentido do quê complementa o quê. A mesa tornou-se um espetáculo. Pratos comuns receberam nomes clássicos e daí derivou-se uma série de inovação, imitação, e até mesmo moda. Poucos americanos, até o Michelin, guia gastronômico turístico, têm idéia da importância de nossa cozinha, que se compara à nossa costura. Apesar de toda a insistência quanto à permanência e à perfeição dos clássicos, comer tornar-se-ia insuportavelmente monótono se não estivéssemos sempre compromissados em renovar e melhorar continuamente. Este valor geralmente é perdido nos restaurantes americanos de comida francesa e nos bistrôs, nos quais os mesmos velhos pratos da *cuisine bourgeoise* (cozinha burguesa) são tipicamente repetidos, ano após ano. Os franceses gostam de comer fora de uma certa maneira especial, sabendo que o que vão saborear hoje pode nunca mais aparecer no menu. Tratam cada refeição como algo especial e isto é o que você também precisa aprender.

Tendo amadurecido através dos séculos, a cultura gastronômica francesa está, pela primeira vez, ameaçada por causa da globalização. Com anúncios transnacionais de fast-food aparecendo em todas as cidades, está-se tornando cada vez mais difícil transmitir a nossos filhos valores orgulhosamente desenvolvidos. Às vezes, parece que estamos voltando à época do Renascimento, quando comíamos com as mãos, servíamo-nos sem cerimônia de grandes montes de comida e até atacávamos um osso antes de passá-lo para a pessoa ao nosso lado. Tudo bem, *j'exagère* (estou exagerando), mas, se alguma coisa pode deslanchar uma obesidade epidêmica na França igual ao que já aconteceu na América, o mais provável responsável será a perda dos valores tradicionais. Por essa razão, a tradição deve ser honrada e promovida para o bem de todos.

TRÊS REFEIÇÕES AO DIA, TRÊS PRATOS AO JANTAR

A refeição tradicional francesa ainda se mantém com três pratos e muitas vezes com um adicional de queijo antes da sobremesa. Em um grande restaurante, não é estranho ter ainda mais pratos! Por que as mulheres francesas ou os homens, também, não engordam? A razão é que adaptamos o comer tradicional à vida moderna, o que, tipicamente, inclui menos do que níveis tradicionais de aplicação. Comemos muito apenas em certas ocasiões, não regularmente. Nossos pratos são maiores em número, porém menores em tamanho. O mais importante: até uma refeição comum possui um grau de formalidade e tradição.

Na seção de transformação, expliquei a importância de não fazer alguma coisa enquanto comer – nada de televisão, jornal ou comer no carro ou no metrô. Também mostrei que algumas formalidades dão mais brilho à experiência do jantar e fazem com que comer menos pareça mais significativo. Isso é o poder da apresentação, que inclui o uso de pratos de porcelana, copos de cristal e toalhas de mesa em linho. Velas também são um belo toque, embora seja realmente uma tradição americana que agora está em grande moda na França. Se tudo isso lhe parece um esforço extra sem sentido, você não está entendendo a questão: o arranjo da mesa pode ser tão importante quanto a preparação da comida. Coloca sua mente no que está para vir e aguça o apetite, abrindo-o a uma experiência mais completa.

A palavra francesa *menu* não quer dizer apenas "lista de pratos", pois *la carte é* o termo mais comum na França: quer dizer também "pequeno"; e, por seu uso em relação à comida, queremos sugerir nosso sentido de pequenas ofertas. A essência da gastronomia francesa é ter um pouco de diversas coisas, em vez de muito de uma ou duas. É o exato oposto do sentido americano de porção (lembrem do enorme prato de massa de Camille). Vamos examinar o prato francês. Para nós, é estranho colocar uma refeição inteira em um prato e mais estranho ainda ver qualquer prato coberto de comida. O arranjo de um pedido no centro do prato faz parte do prazer francês. Trocar os pratos não apenas força a pessoa a se concentrar no que está saboreando no momento, mas também retarda a refeição, favorecendo a digestão e promovendo maior satisfação. Quanto mais depressa comer, mais vai querer. Se lavar um prato extra parece aborrecimento, como se compara com o fato de engordar?

Nossos pratos no *menu* são os que nos permitem apreciar de vez em quando toda a produção da boa cozinha, incluindo *amuse-bouche* (antepasto), primeiro prato, prato principal, queijos, sobremesa e *petits fours* – que arte! Mas tenha em mente que não são no estilo Luiz XIV. Se os pratos não fossem *menu* (pequenos), não sobreviveríamos. Mesmo saindo da refeição mais elaborada, os franceses ficam satisfeitos, nunca empanturrados.

Hoje em dia, muitos franceses ainda fazem do almoço sua principal refeição. Isso pode não ser prático para você. No entanto, três refeições por dia são obrigatórias para ajustar o metabolismo do corpo no ponto certo. Comer bobagens – fato que decorre principalmente de não ter três refeições apropriadas – é geralmente um expediente errado, que gera confusão para nosso espírito e corpo. Se não tem muita fome pela manhã, não se engane pensando que pode sair-se bem com um falso café. Vai apenas comer desproporcionalmente mais tarde no dia. Já vi várias mulheres jovens que, pela manhã, só tomam um café, trabalham até o almoço (se conseguirem passar pela pausa das onze horas para um café e biscoitos), pensando no jantar fora com amigos. Parece que seria uma compensação para prazeres posteriores (na realidade, o prazer, como regra, deve preceder a compensação), mas, na verdade, as pessoas que fazem uma refeição por dia estão apenas se iludindo e não de modo correto. Por volta do jantar, vão estar famintas quando a festa muitas vezes começar com um "drinque colorido"; bebidas fortes, xaropes açucarados (calorias vazias que amortecem os sentidos: estes coquetéis deveriam vir com um aviso geral do cirurgião!). Depois, vem a típica refeição de restaurante apresentando porções desmedidas, feitas com todos os truques de um mau cozinheiro: sal demais e gordura e açúcar escondidos nos pratos saborosos. Quanto? Quem sabe – não podemos enviar o jantar para um laboratório de análises. A opção "para viagem" pode ser a mesma caixa cheia de mistério. Deixe o jantar fora de casa para ocasiões especiais e escolha qualidade. Bons restaurantes são excepcionais. O melhor é comer em casa. *Manger bien et juste* (comer bem e certo). Conheça sua comida e conheça-se a si mesma!

6

AS ESTAÇÕES E OS TEMPEROS

LES FRAISES D'ANTAN: OS MORANGOS DE ANTIGAMENTE

Não havia morangos no primeiro Dia de Ação de Graças. Talvez frutas silvestres. Morangos, não. Os Pilgrims (Colonos) naturalmente usavam os produtos locais e os que eram na estação. Assim agiam nossos avós e antepassados. Tomates em dezembro? Tente a América do Sul. A industrialização e a distribuição global dos alimentos nos condicionaram a esperar encontrar todas as comidas o ano inteiro. Eu mesma já fui enganada pela linda aparências de um produto fora de estação, mas o gosto de papelão era o bastante para que eu procurasse o guardanapo para expelir o agressor falsificado. Nada tem menos gosto do que um tomate de supermercado no inverno, mas um verdadeiro espécime amadurecido no ponto no verão é a coisa mais divina.

Há uma razão para comermos torta de abóbora com o peru de Ação de Graças e não com os cachorros-quentes de 4 de Julho. Pensar na estação significa adaptar sua refeição ao que está disponível nos mercados por pouco tempo durante meses específicos do ano. O ritmo da estação é parte vital do ajuste dos nossos corpos ao seu equilíbrio, cultivando o bem-estar. No verão, por exemplo, nossos corpos acolhem com alegria uma salada composta das verduras mais frescas, com os mais cheirosos tomates: espigas de milho e morangos suculentos deliciam-nos, e cada qual é repleto de nutrientes, mas também de água fresca, que perdemos mais depressa no tempo quente. No outono e no inverno, é claro, ansiamos por energia mais concentrada para nos manter aquecidas e sempre em movimento. Queremos mais proteínas e, por felicidade, começa a estação de ostras, frutos do mar, sopas quentes e saborosas, feijão seco e lentilhas, além de mais quantidade de carne.

Afinal, a estação é a chave do prazer psicológico que a francesa sente por comida – o prazer natural de antecipação, mudança, a alegria pungente que sentimos por algo que sabemos que, em breve, vamos perder e não podemos aceitar como garantido. Esta noção aumentada de que o que colocamos em nossas forças é o oposto da rotina, do comer indiferentemente, é o que atrai o tédio e o aumento de peso. Os primeiros caranguejos da estação são um prêmio notável. Os primeiros morangos podem despertar uma preciosa recordação quando lembramos de passadas estações. E isso se aplica às coisas que fazemos, assim como às que produzimos. É véspera de Natal quando estou escrevendo esse capítulo. Da janela de nosso apartamento em Paris, podemos ver uma famosa loja de doces, Mulot, onde cerca de sessenta pessoas sob guarda-chuvas estão pacientemente em fila, na rua chuvosa, esperando para pegar a *bûche de Noël* (bolo em feitio de acha de lenha). Podem acreditar: elas não se aborrecem por estar ali – *au contraire!* (ao contrário). Só na França, poderão dizer, e infelizmente vão estar certos. O bolo é substancioso, engorda e é delicioso e nenhuma francesa passa sem uma fatia ou duas. Feito para ser comido apenas alguns dias ao ano, trata-se de uma tradição que ninguém recusa. E tendo um apurado senso de equilíbrio, ninguém precisa recusar.

AU MARCHÉ (AO MERCADO)

Seja nos vilarejos das províncias francesas, nas cidades ou mesmo em Paris, em certos dias da semana pode-se sempre ver os caminhões em praças locais e em linha nas ruas. Esta caravana está fornecendo produtos frescos, os melhores da estação, desde carne e caça, até frutas e legumes, ervas e temperos. Já viu vinte e sete variedades de azeite em vários barris? Dia de mercado é uma tradição que data de séculos desde que a França era Gália. Por que persiste no século XXI, mesmo quando os conglomerados franceses erigiram *hypermarchés* (hipermercados que rivalizam em tamanho com qualquer um americano)? Por que as pessoas de todos os níveis de vida arrostam o frio e o calor, chuva ou sol, para escolher entre três variedades de feijão, sete tipos de batatas, pães de formas variadas, ovos de codorna, frangos orgânicos, javalis, quarenta e três variedades de queijo, incontável número de ervas, peixes e, naturalmente, flores recém-cortadas?

O termo *artesanal*, ultimamente em voga nos restaurantes americanos e no mercado, desvenda o segredo. Qualidade escolhida a dedo sempre foi o ápice da gastronomia e da cultura francesas. As francesas vivem por ela. Envolve manipulação, assim como produção: ovos frescos, não de meses atrás, as gemas não são amarelo-claras e sim cor de laranja, explodindo de sabor. Quer dizer pêssegos colhidos naquela manhã repletos de sumo e destinados a viver no auge da intensidade, por apenas um dia, antes de perecer lentamente.

Fazer compras continua a ser uma instituição francesa que veio para ficar, apesar da proliferação de hipermercados (agora, felizmente, limitados por lei). É uma ocasião social, vital. Vemos nossos vizinhos, comparamos preços e, aos poucos, passamos a conhecer os produtores e os fazendeiros, de quem nos tornamos fregueses e em quem aprendemos a confiar. Isso é de grande importância, porque na França ninguém ousa apertar a mercadoria; de preferência, os produtores em quem acreditamos escolhem o produto para você de acordo com o dia em que planeja comer, como e com quê. Esta conversa pode durar um pouco e a pessoa que está atrás, na fila de espera, pacientemente respeita a seriedade do assunto do vizinho.

Eu estava em um estande de frutas no Mercado Saint-Germain planejando refeições para a iminente chegada de Edward, vindo de Nova York. Como um psicanalista treinado, uma maravilhosa vendedora perguntou-me: *"C'est pour ce soir?"* (É para esta noite?) "Sim, os pêssegos brancos são, mas os amarelos são para a noite de amanhã." Ela examinou e pegou pensativa. Em geral, compro o que preciso para o mesmo dia, mas sabia que ia ficar no escritório até tarde e queria oferecer a Edward um melão (de Cavaillon), uma de suas frutas favoritas, em seu primeiro almoço em Paris, no sábado. Quando virei para o estande do melão, ela perguntou "*C'est pour quand?*" (É para quando?). Disse-lhe e ela começou a pesar alguns, considerando as texturas e os perfumes; então, tendo reduzido a escolha para dois, finalmente disse com um sorriso de certeza: "*Dans ce cas, c'est celui-ci*" (Nesse caso, é esse aqui). Apresentou-o em sua mão direita, tendo calculado que o que estava na esquerda não estaria perfeito até domingo. Naturalmente, como não guardo frutas na geladeira, deixei o que ela havia escolhido na cesta sobre a bancada da cozinha e esqueci. No sábado de manhã, animada com a idéia da chegada de Edward, acordei com a mais intoxicante fragrância perfumando o apartamento. O melão estava dizendo "Coma-me" e, quando Edward apareceu, vindo do aeroporto, não tive jeito de fazer uma surpresa. Ele só disse "Oba" quando passou pela cozinha.

Apesar de as minhas visitas ao mercado em Nova York não serem tão intensas quanto as de Paris ou Provence, ainda assim são ricas experiências, pelo fato de conhecer e conversar com produtores e pessoas, poder ver e provar o que está na estação e aprender a preparar o melhor produto sazonal com respeito. Os fazendeiros de qualquer parte do mundo adoram ensinar receitas e os americanos, sendo um povo curioso e amigável, não têm medo de perguntar o que fazem com algum tipo de comida, seja arraia, flores de abobrinha ou chalotas. (Isso é uma vantagem: às vezes, o orgulho e o medo francês de parecer ignorante inibem, mas ninguém pode ser tímido quanto à informação sobre comida.) Hoje em dia, a febre de mercados está assolando as cidades americanas, de San Francisco a Santa Mônica, Seattle, Chicago, Boston e outras. Na melhor das hipóteses, pode ter algum perto de sua casa. Em Nova York, o internacionalmente famoso mercado da Union Square está aberto quatro dias na semana. Naturalmente, o interior é muito rico em oportunidades e, longe de estar desaparecendo, a fazenda tradicional está florescendo de Long Island até Pensilvânia, da Califórnia até Wisconsin.

Se algum dia você comprar frutas e legumes em feiras, sem mencionar pão, ovos, frangos e peixe, será difícil depois encarar o supermercado, a não ser para ingredientes não-perecíveis. Claro que tem que aprender qual a freqüência do mercado. Na França, estamos mal-habituados, pois temos mercados diariamente, mas também temos os semanais. Por exemplo, na Provence os mais famosos que funcionam diariamente são nas cidades de Nice, Aix e Avignon, enquanto em cidades menores é mais comum o rodízio semanal. Portanto, se é terça-feira, é em Vaison La Romaine; no dia seguinte, será em Carpentras; depois, Ménerbes; Saint Rémy de Provence; Uzés; e assim por diante. Ter noção de quando e aonde ir não é uma coisa desagradável: é quase um esporte que apreciamos. O esforço é pago dez vezes mais na cozinha. O melhor cozinheiro do mundo não pode fazer boa comida se os ingredientes forem ruins; e é preciso um gênio perverso para transformar bons ingredientes em péssima comida. Os ingredientes da estação respondem melhor à mais simples preparação; realmente, você não pode errar quando começa com qualidade.

Os últimos vinte anos têm presenciado espantosas melhoras na cozinha americana, com um novo respeito caloroso por *cuisine du terroir* (cozinha da terra), trazendo o melhor da terra para o restaurante e para a cozinha dentro de casa. Os apóstolos americanos desta corrente, como Alice Waters, foram os primeiros a fazer os americanos pensarem seriamente sobre ingredientes e mercados, e há mesmo uma revolução a caminho, pois mais e mais americanos estão convertidos às satisfações de eles mesmos poderem fazer sua comida.

Uma diferença entre a América e a França permanece como um certo paradoxo. A América, o protótipo dos valores igualitários, de certa maneira sofre de um sistema de classe gastronômico, desconhecido na França. O direito e a oportunidade de aproveitar o que a estação oferece de melhor parecem estar monopolizados por uma elite. Fora dela, a grande maioria dos americanos está condicionada a pedir e aceitar de bom grado ingredientes não-naturais, processados, tratados quimicamente, que, por causa da embalagem e da publicidade, foram feitos para parecer integrais. Não tenho dúvida de que qualquer pessoa que comer desta maneira, com o tempo, vai engordar. Por contraste, entre os franceses, o amor pela comida boa e natural faz parte do patrimônio universal. Não que os franceses não paguem mais pela qualidade. Na média, gastam em comida uma proporção muito maior do que ganham. O que parece um luxo para os americanos é uma necessidade para os franceses. Naturalmente, nem todo luxo está ao alcance de todos (caviar beluga não é um direito universal), mas os franceses vivem realmente por um princípio que os americanos, às vezes, esquecem, apesar de o terem caracterizado de maneira mais eloqüente: Lixo dentro, lixo fora. O segredo de cozinhar e, conseqüentemente, viver bem é usar os melhores ingredientes.

Parte de viver como uma francesa, portanto, significa procurar e pagar um pouco mais pela qualidade, seja em feiras ou, pelo menos, em uma boa mercearia que tenha os mesmos fornecedores da feira. Isso está dentro do orçamento da maior parte das americanas. As francesas também vivem dentro de um orçamento, mas sabem o valor da qualidade sobre a quantidade.

Outro item, é claro, é a disponibilidade. E embora o mercado na América ainda não tenha chegado a ser igual ao da França, apenas alguns alcançam um alto nível de qualidade em relação ao lugar onde as pessoas vivem. Novos mercados e lojas de especiarias estão aparecendo em todos os cantos do país, principalmente em razão da demanda constante de produtos cultivados organicamente. A pessoa tem que ter paciência e procurar. E, graças à Internet, muitos ingredientes de boa qualidade não estão a uma distância de carro (ou melhor, a pé), mas apenas a um clique do mouse.

TEMPEROS

Em qualquer mercado francês você pode achar potes e potes de ervas frescas, assim como filas e filas de temperos e ervas secas. Em cidades e vilarejos, mercearias (*épiceries*) estocam grande número de temperos. Embora a comida francesa não seja conhecida como picante, as francesas não podem viver sem os temperos. Usados com arte, eles são o segredo de nossa ilusão, acrescentando um mundo de sabores às receitas que, de outra maneira, dependeriam de gordura para ter gosto. À medida que você se familiarizar com ervas e temperos, tenha em mente que os últimos são mais penetrantes por natureza. Arrisque tornar-se uma exploradora de temperos, mas aprenda sua ousadia *peu à peu* (pouco a pouco). Um pouco de açafrão já é bastante e você pode sempre adicionar, nunca subtrair.

As ervas mais comuns na cozinha francesa são salsa, manjericão doce, estragão, tomilho, tomilho de limão, cerefólio, manjerona, orégano, alecrim – usadas em sopas, carnes, aves, peixes, legumes e saladas – e sálvia, que não é tipicamente usada com peixe e com saladas, mas é excelente em carnes e cogumelos. Devemos picá-las no último segundo, para que conservem o melhor sabor. Quanto aos temperos, usamos sempre páprica, pimenta-caiena e, cada vez mais, curry e gengibre, principalmente com aves, carnes e legumes. Claro que canela e noz-moscada são mais usadas nas sobremesas, mas experimente salpicar de leve canela no carneiro, seja assado ou cozido, ou adicione um toque de noz-moscada a um prato de frango com creme ou em legumes como cenouras, vagem, abóbora ou espinafre. (O inesperado pode ser a maior delícia: o chef alsaciano Jean-Georges Vongerichten fez um enorme sucesso quando temperou o sorvete com pimenta moída.)

A mostarda é o condimento mais versátil (invista sempre na melhor qualidade; nós, franceses, gostamos da Dijon, Pommery e Meaux, cada qual tem um sem-número de produtores com variedade de qualidade). Adicione um pouco de mostarda em uma sopa de creme, um hambúrguer (boa alternativa para ketchup), nos queijos e pratos de ovos, nos sanduíches (muito mais gostosa do que maionese), molhos de saladas, molho de peixe ou qualquer guisado: isso dará um sabor extra e muita complexidade. Ervas frescas como o manjericão, a hortelã e o alecrim são ideais para pratos de verão, enquanto no outono e no inverno ervas secas e temperos vão dar melhor sabor a tudo, desde o carneiro até a compota de fruta. Os temperos facilitam a digestão de comidas pesadas e fortalecem a imunidade de nosso sistema, que é severamente ameaçado no inverno. Portanto, temos que usá-los mais generosamente nos meses frios. Tanto as ervas quanto os temperos podem também ajudar a diminuir o sal, que causa retenção de água e ganho de peso temporário. (Até a fugaz impressão de quilos a mais pode ser desanimadora quando queremos reduzir!)

Como pode imaginar, a qualidade de temperos é *très important* (muito importante). Por isso é que os franceses costumam moer tanto a pimenta quanto o sal, pulverizando estes ingredientes no último segundo, para incrementar sabores frescos no momento em que são necessários. Sal marinho, muito mais intenso do que a variedade comum de mesa, iodado, faz toda a diferença no gosto. E você sabia que há pelo menos doze variedades de pimenta? Hoje em dia, você pode ter um jardim próprio de ervas sem o menor problema; já existem até jardins instantâneos – basta adicionar água e, em algumas semanas, terá uma fazenda em casa. Aprenda fazendo. Na cidade, tenho uma variedade de salsa, tomilho, alecrim, hortelã, cravos e manjericão em uma caixa no peitoril da janela, desde o final da primavera até o começo do outono, quando então a levo para dentro de casa, em uma área ensolarada.

Como o manjericão não se dá bem dentro de casa, no fim do verão pego as folhas individualmente e congelo-as, mas também faço um bom suprimento de "pesto", o qual gelo nas bandejas de cubos de gelo. Selo os cubos gelados, um por um, em sacos plásticos separados que serão ótimos para as noites frias de dezembro, quando apenas um vai dar molho instantâneo para servir com massas.

Pessoalmente, tenho grande paixão por alecrim em razão de seu forte aroma e seu gosto peculiar. Uso-o tanto fresco como seco, como minha erva preferida com carneiro, frango da Cornualha ou com qualquer tipo de ave. Passei a gostar de alecrim quando ainda era adolescente, em férias na Provence. Um dos meus parentes guardava um vaso no seu quarto, porque acreditava que o aroma era estimulante, limpo e aconchegante. Outros também confirmam este efeito calmante para o sistema nervoso. Se cheirar um galho de alecrim, vai ver o que os provençais querem dizer.

Experimente uma porção de temperos para descobrir aqueles de que mais gosta. Mantenha-os em estoque, mas esteja sempre aberta às novas combinações de sabores. Alguns pratos básicos podem ser variados drasticamente mudando apenas a maneira de temperá-los. (Vou dar exemplos disso no próximo capítulo.) Apenas lembre-se de que aqui também "menos é mais". Quando tiver aprendido a saborear a comida com cuidado, irá notar, cada vez mais, a presença dos ingredientes, como nunca fez antes. Quanto mais sabores treinar-se para registrar na mente, mais complexa ficará sua apreciação do gosto. E um paladar bem treinado torna seu contentamento mais rápido de ser alcançado. Manter a mente interessada no que está digerindo é fundamental para comer menos e perder peso.

NOZES

Salpicamos nozes em saladas o tempo todo e, certamente, polvilhamos em peixes e até em carnes. Adicionamos às massas e usamos, aos pedacinhos, sobre iogurtes, bolos e sorvetes. Extraímos delas óleos perfumados que são ótimas alternativas para o consagrado *huile d'olive* (azeite de oliva).

Supremamente nutritivas, podem ser deliciosos e saudáveis complementos em muitos pratos e apresentações, tornando-os mais substanciais, por causa da concentração de boas gorduras. Mas você sabia que nozes são sazonais?

Se você já comeu algum dia avelãs e amêndoas frescas, vai entender. É perfeitamente razoável quando lembramos que são frutas que crescem em árvores e arbustos. Não peço desculpas por ser louca por nozes e as minhas variedades favoritas são avelãs, nozes, propriamente ditas, e amêndoas. Parte desta atração, devo admitir, vem do fato de ter sido mimada quando criança. Nosso jardim tinha algumas árvores de noz-moscada (*noisette*) (que parecem grandes bosques) e uma enorme árvore de nozes (*noix*), e também tínhamos filas de árvores de avelãs atrás da casa de minha avó, na Alsácia. Não existe nada igual a quebrar uma noz fresca recentemente caída da árvore: o invólucro marrom fino é tão macio que entrega a doce polpa branca sem combate. O cheiro e o gosto são indescritíveis: tão diferente do saco de nozes servido no avião quanto um fino *saucisson* (salsichão) é diferente de uma salsicha para cachorro-quente.

Anos mais tarde, visitando a Grécia, experimentei amêndoas frescas (ainda mais delicadas, com um toque sensual de doçura.) Quando voltei para a França, coloquei no meu quarto um pôster de *L'Amandier en Fleurs* (Amendoeiras em flor), de Bonnard, para me lembrar daquela experiência. Em casa, no outono, sempre tínhamos uma terrina de nozes frescas e, depois da refeição de domingo, comíamos antes do café. Como crianças, gostávamos de abri-las. (Conservá-las fechadas preserva o sabor e ajuda a comer menos, obrigando-nos a trabalhar para as calorias.) *Mamie* empacotava punhados em pequenos sacos marrons para comermos durante o recreio das dez horas da manhã, na escola. Nossa *nounou* (babá), Yvette, uma doce jovem senhora que havia sido praticamente adotada por nossa família, costumava dizer que isso e outras iguarias eram o segredo de nossas excelentes notas.

Um pequeno punhado de nozes sem sal ainda é um dos meus aperitivos favoritos, às vezes parte do almoço e, como emergência, para comer nas viagens (o *en-cas*, sempre incluindo algumas frutas secas, principalmente damascos, que guardo na minha agenda de bolso para a sala de espera do aeroporto). Nozes são ricas em gordura benéfica, assim como são boas fontes de vitamina E, ácido fólico, potássio, magnésio, zinco e outros minerais essenciais para a saúde. Muitas pessoas pensam em nozes como alta caloria e alimento de muita gordura, o que é verdade; portanto, coma com moderação; aquelas seis ou oito nozes (cerca de 31g) são equivalentes a, digamos, 50 gramas de frango, porém mais ricas como alimento nutritivo vital. Coma um pequeno punhado e colha os benefícios para sua saúde. Saboreie uma a uma.

A maior parte das que compramos nas lojas é velha e, às vezes, até rançosa. Nos aviões ou nas salas de espera, as ofertas não são melhores, geralmente são cheias de sal, para encobrir o ranço. Manter as nozes em seu pleno vigor pode ser uma aventura em relação à qualidade. Depois que mudei para Nova York, ainda visitava regularmente meus pais na França, e minha mãe era minha principal fornecedora. Sempre me dava um grande saco de avelãs para levar para Nova York. Um ano, eu estava preparando a refeição de Ação de Graças e tinha uma excelente receita de torta de abóbora que requeria uma base de noz-pecã. Não tinha nenhuma em casa e resolvi substituir por minhas avelãs frescas. Até hoje, Edward, que adora torta de abóbora, diz que foi a melhor que já comeu (outra aula sobre os prazeres da substituição). Agora, encomendo minhas avelãs em Oregon, logo depois da colheita, e considero-as muito parecidas com as que comia na minha infância. Se não conseguir ter as colhidas na época, pelo menos assegure-se de que não estão rançosas. Lojas de comidas naturais costumam ter o melhor lote. Você deve guardá-las em um pote hermeticamente fechado, longe da claridade (e, por favor, jamais na geladeira).

TORTA DE ABÓBORA COM AVELÃS

10 porções

INGREDIENTES

2/3 de xícara de farinha de trigo sem peneirar
1 pitada de sal
1 colher (sopa) de açúcar
6 colheres (sopa) de manteiga gelada
1 ½ colheres (sopa) de água bem gelada.

RECHEIOS

1/3 xícara de avelãs moídas
1/4 xícara de açúcar mascavo granulado
2 colheres (sopa) de manteiga
2 ovos mais 1 gema
1 xícara de purê de abóbora sem adoçar (é preferível orgânica ou natural)
1 colher (sopa) de farinha de trigo
2/3 xícara de açúcar mascavo
1/4 de colher (chá) de canela
1/4 de colher (chá) de cravo
1/2 colher (chá) de sal
1 copo de creme de leite fresco

1. Coloque a farinha, uma pitada de sal na vasilha do processador junto com o açúcar e misture.
2. Corte a manteiga gelada em pedaços pequenos e coloque na vasilha. Junte água e bata por 15 segundos. Se a massa estiver muito seca, vá adicionando água aos pingos. A massa deve ficar apenas unida. Não misture.
3. Enrole a massa em papel-manteiga e refrigere por pelo menos quatro horas ou de um dia para o outro.
4. Preaqueça o forno em 400°. Abra a massa e coloque em uma fôrma de torta de 20 centímetros de largura por 5cm de altura. Forre a forma com a massa e envolva-a com papel-alumínio. Coloque pequenos pesos para manter a massa no lugar e asse por 10 minutos no forno preaquecido. Tire do forno e jogue fora o papel e os pesos.
5. Aumente a temperatura do forno para 450°. Prepare o recheio misturando as nozes, ¼ de açúcar granulado mascavo e manteiga. Faça com que vire uma pasta e espalhe, com as costas de um garfo ou uma espátula de borracha, na massa parcialmente assada. Asse por mais 10 minutos.
6. Misture os ovos, a gema, o purê de abóbora, farinha, 2/3 do açúcar mascavo, temperos, sal e creme. Coloque tudo dentro da massa. Diminua o forno para 325° e asse por 45 minutos.
7. Sirva em temperatura ambiente ou fria. Opcional: Sirva com creme batido sem açúcar ao lado (1 xícara para a torta inteira).

A TORTA SE MANTÉM POR ALGUNS DIAS NA GELADEIRA. SEMPRE TIRE DA GELADEIRA ALGUNS MINUTOS ANTES DE SERVIR.

OUTRAS FRUTAS

Crescer na França significa comer muita fruta – na estação, é claro. Era o que fazíamos em nossa família. Nosso jardim tinha muitos e muitos pés de morango, uma grande cerejeira coberta com a variedade suculenta, grande e de duas cores, e uma árvore pequena de cereja amarga: pés de framboesa e amora cresciam como erva daninha pelos muros de pedra – perto das árvores de nozes e avelãs. E em vários canteiros tínhamos ruibarbo, cebolas, alho-poró, tomates, cenouras e outros arvoredos de *groseille* (groselha vermelha) e muitas variedades (como *maquereaux*) destinadas principalmente a geléias e gelatinas.

A cada ano, antes do final das aulas, eu tinha permissão para dar uma festa ao redor da cerejeira. Com nosso jardineiro a postos como segurança, minhas amigas e eu revezávamos subindo na árvore. Eu levava vantagem, sendo a mais treinada, mas algumas outras corajosas juntavam-se a mim nos altos galhos para colher cerejas que jogávamos para as menos ousadas. No final, todas as bocas estavam manchadas com diferentes tonalidades de vermelho e roxo. A parte que, às vezes, não gosto de lembrar é que, ano após ano, havia sempre alguém que comia demais, tendo que pagar caro depois: *un petit mal d'estomac* (dor de estômago). É melhor aprender a moderação bem cedo.

A estação de morango significava uma cura de morangos. Minhas frutas favoritas até hoje, durante cerca de seis semanas, eram servidas quase todos os dias como sobremesa, sendo colhidas, literalmente, minutos antes de servir. Meu pai tinha obsessão por sua colheita e, na primavera, colocávamos palha no chão entre os pés das frutinhas, para que, quando florescessem e tomassem muito sol para amadurecer, pudessem repousar na palha, não na terra, permitindo que comêssemos sem precisar lavar. (Era um prazer primitivo que sempre chocou meu marido americano, com seu aguçado senso de higiene; mas acabou acostumando-se com isso e nunca teve dor de estômago.)

Comer durante seis semanas a mesma coisa favorita poderia parecer monótono, se não fosse pelo sem-número de variações: segunda-feira era o dia em que mamãe tinha menos tempo de ser criativa; então, no almoço, comíamos os morangos puros, tirando de uma grande vasilha no centro da mesa. Na maior parte dos outros dias, comíamos *fraises à la crème* (morangos com creme), uma coisa que não encontramos nos restaurantes americanos. Minha mãe amassava os morangos maduros delicadamente com um garfo, deixando que o suco vermelho fluísse. Depois de adicionar um pouco de açúcar, deixava a mistura descansar na temperatura ambiente até a hora do almoço. Naquele momento, o aroma já era irresistível e, adicionando um pouco de creme fresco, era o bastante para obter uma sopa cor de rosa-claro deliciosa (só de pensar, já fico com água na boca). Se servíssemos isso em pequenos pratos de sobremesa com a beirada dourada (um truque para fazer com que pequenas porções pareçam maiores), era possível repetir e sentir-se plenamente satisfeita.

Nos domingos, era dia de torta e minha mãe fazia *tarte aux fraises* (torta de morango). Depois de selecionar uma cesta dos melhores espécimes, todos de tamanho similar, ela fazia uma deliciosa *pâte brisée* (massa podre) ou *pâte sablée* (massa seca), deixava esfriar e alinhava os morangos crus, com a extremidade superior para cima. Com um *coulis* de morango para espelhá-los e *crème chantilly* (creme batido) colocado ao lado, ficava mais bonito do que você jamais viu na melhor loja de doces, divinamente delicioso e com muito menos calorias.

Durante o inverno, fazia a mesma receita com cerejas amargas e adorávamos o gosto picante da torta. Não gostávamos era de ter de colher, tirar o caroço e conservar (em vidros esterilizados), pois todos tínhamos que ajudar nas tardes de verão de domingo; mas mamãe era sempre rápida em lembrar o quanto iríamos gostar das tortas de cereja no inverno, quando não havia tanta fruta fresca. (A fruta é um dos raros alimentos cuja apreciação fora da estação é uma arte por si mesma, e poucos sabem fazer conservas como os franceses.) *Mamie* também fazia algumas variações com cerejas amargas: cruas (apenas as mulheres na família gostavam desse jeito); em tortas, ou a melhor de todas, naqueles almoços especiais de domingo, quando fazia a sobremesa favorita de papai: *baba au rhum*. Em vez de ensopar o bolo com grande quantidade de rum, usava o suco das cerejas em conserva, juntando apenas um pouco de rum para umedecer a *baba*. Antes de servir, despejava as cerejas do vidro selado a vácuo no interior da *baba* bem assada, depois cobria com creme batido. Tratava-se de um raro regalo que, geralmente, não era feito em casa, mas sempre solicitado por nossos convidados, que eram os únicos com direito a repetir.

Framboesas e amoras eram comidas puras na estação, mas, quando tínhamos em demasia, mamãe sempre congelava algumas (um método de conserva que não funciona com morangos, infelizmente, o que dá um toque adicional à sua mística, mas que funciona bem com a maioria das outras espécies). Como uma de nossas sobremesas favoritas, geralmente saboreada aos domingos, mamãe fazia um pudim de baunilha, colocava as amoras em cima, com o suco escorrendo pelas bordas tremulantes – não apenas um quadro bonito de se ver, mas também delicioso com o gosto denso, porém sutil, do pudim, com a suave polpa das frutinhas descongeladas e o perfumado *coulis*.

Quanto a outras frutas silvestres, na Alsácia abundavam além do muro do nosso jardim. Com um grande cajado de madeira que usava como bengala nos passeios pela floresta, minha avó guiava a família nas expedições. Nos bosques, por trás de sua casa, havia o mais incrível campo de mirtilo, o seu jardim secreto. Cada um de nós era encarregado de encher uma pequena cesta, mas eu, sorrateiramente, tratava de também encher a boca. Minha avó precisava de muitos mirtilos para fazer uma torta, pois estas pequeninas frutas nada têm a ver com as amoras do tamanho de bolas de gude que vemos nos Estados Unidos. São também muitíssimo mais gostosas, ao mesmo tempo azedas e doces, mas também um pouco picantes. Às vezes, no final da colheita, meu pai tinha que me ajudar a conseguir minha cota, dividindo um pouco do que havia colhido comigo. Lembro-me de tentar descrever mirtilos para Edward. Ele não conseguia entender, até que, em um Dia de Reis, alguns anos depois na Auberge de l'Îll, em um templo gastronômico da Alsácia, serviram como sobremesa a primeira *tarte aux myrtilles* da estação. Queria ter tirado um retrato do seu rosto naquele momento.

Na maior parte do mundo, verão quer dizer pêssegos e melões seguidos por peras e, no outono, maçãs. Na França, parece que temos uma obsessão para seguir as variedades de ameixas que aparecem no final do verão até o outono. Na verdade, consumimos cerca de 20 milhões de quilos por ano. Lá em casa, a estação começava bem no final do verão com *la mirabelle*, uma variedade única do leste da França. É uma pequenina fruta amarela, do tamanho de um tomate cereja, com um perfume sutil entre a baunilha e o mel. Usamos em tortas, molhos (como molho de maçã), conservas, sorbets, e *alcools blancs*, a aguardente destilada que meu avô bebia depois de uma lauta refeição para facilitar a digestão. Encaramos com tanta seriedade estas ameixas que existe algo chamado *la fête de la Mirabelle*: quando uma rainha é escolhida e sai na parada, pela cidade, seguida por caminhões repletos de ameixas. Há programação de pratos cobrindo cada maneira de preparação. E competições. As tortas de minha mãe eram muitas boas, mas devo admitir que as de *tante* (tia) Berthe eram as melhores, razão pela qual nunca revelava sua receita. Consegui, como adolescente, pegá-la no ato da preparação, mas ela fez-me prometer manter isso *en famille*, portanto não a incluo aqui.

A variedade mais comum na França é *la quetsche*, a ameixa suculenta, alongada, de cor violeta e com uma polpa firme. No verão, fazíamos *clafoutis* e tortas com elas. Geralmente rotuladas como ameixas italianas nos Estados Unidos, congelam bem e são um regalo no inverno. Freqüentemente, uso-as guardadas no freezer como acompanhamento para *panna cotta* (sobremesa do norte da Itália), massa italiana. A *panna cotta* leva realmente cerca de cinco minutos para ser preparada, e outros cinco são necessários para cozinhar as ameixas descongeladas com um pouco de manteiga e polvilhá-las com a menor mistura de açúcar e canela, complementando o sabor e a textura da massa.

Finalmente, há uma variedade que gosto de comer o ano inteiro, como parte do meu programa pessoal de bem-estar. Chamada *la prune d'Ente*, trata-se de uma ameixa violeta usada no sudoeste da França para fazer os famosos *pruneaux d'Agen* ou ameixas de Agen. Edward costumava debochar de mim porque eu comia duas ameixas no café-da-manhã algumas vezes na semana – parecia-lhe muito pouco charmoso para ser francesa. Mas ameixas contêm muitas vitaminas e, claro, são ricas em fibras, como diz a velha piada, um leve laxativo carregado de potássio, cálcio e magnésio. As francesas consideram as ameixas um perfeito desintoxicante; purificam o corpo e ajudam a manter um bom equilíbrio de traços de elementos. As crianças, portanto, deveriam ser ensinadas a gostar dessas frutas. São boas para todos, não apenas para idosos.

Nenhuma discussão sobre preferências de frutas francesas pode excluir o limão. Se você for tomar uma *boisson* (uma bebida) com uma francesa em um terraço ensolarado de um café, saiba que ela vai pedir, na maior parte das vezes, um *citron pressé* (suco de limão espremido na hora) antes (ou em vez) de um expresso ou uma água mineral. É basicamente o suco de um limão ao qual é adicionada água fria ou morna (nada de açúcar, por favor). Isso pode ser tomado no café-da-manhã (basta meio limão). Também gostamos da idéia importada da Itália, o *canarino*: o suco de um limão fresco tomado como chá. Gostar de limão é excelente para a estabilização.

O consumo de frutas é uma das maiores diferenças entre os padrões alimentares das francesas e das americanas. Muitas americanas comem poucas frutas, se é que comem, e quem poderá culpá-las, considerando a mania que têm por supermercados com suas ofertas sem gosto, com frutas envernizadas e colhidas verdes sendo exibidas nas prateleiras? A fruta é um marco na vida francesa e você deve torná-la um marco na sua também. E não há desculpa, porque é um alimento facilmente apreciado sem preparação. Você só precisa saber o que está disponível e quando pode ser preservado para comer fora da estação. Ir, uma vez por semana, aos lugares onde os bons gêneros alimentícios são vendidos é a maneira mais fácil de garantir qualidade. Se puder ir ao mercado, vai ter ao seu dispor um dos maiores prazeres na arte de comer. Se não puder, laranjas e grapefruits embarcados frescos da Flórida, entre o final de novembro e o mês de fevereiro, são um verdadeiro banquete e um antídoto para a insuficiência de frutas locais durante o inverno.

AMEIXAS *CLAFOUTIS* SEM MASSA

4 porções

O clássico *clafoutis* (doce de fruta) é naturalmente mais substancial com farinha, ovos e leite. Mas, como aprendi com o Dr. Milagre a versão sem farinha, temperada, pode dar uma impressão de indulgência, com muito menos calorias. Uma pequena bola de sorvete é boa contrapartida também. Geralmente preparo essa sobremesa em casa, quando quero compensar o excesso de um prato anterior e injetar nutrientes de algumas frutas e fibras na refeição. Também é um truque para usar ameixas não muito maduras – cozinhar um pouco e pôr uma pitada de açúcar fazem toda a diferença. A mesma receita serve para cerejas, maçãs, peras ou figos.

INGREDIENTES

12 ameixas
1 colher (sopa) de suco de limão
1 colher (sopa) de açúcar
¼ colher (chá) de canela
1 colher (chá) de manteiga

1. Lave as ameixas e corte em quatro. Jogue o suco de limão por cima e deixe marinar por 10 minutos.
2. Misture o açúcar com a canela. Aqueça a manteiga em uma frigideira não-aderente e adicione as ameixas. Polvilhe com açúcar e canela.
3. Cozinhe em fogo baixo, até que fiquem sem amolecer (*al dente* é preferível). Sirva em temperatura ambiente, com ou sem sorvete.

VITAMINA DE MIRTILO

4 porções

Esta bebida muito saudável, muito rica em antioxidantes, pode ser a melhor parte de seu almoço, lanche ou até café-da-manhã (embora eu prefira algo mais forte e balanceado para começar o dia), assim como sobremesa acompanhando um biscoito ou um bolinho quente. Descobri isso ainda criança, mais uma vez visitando minha avó na Alsácia, onde colhíamos muito mais mirtilos do que podíamos comer na estação. Os mirtilos congelam muito bem. Hoje, vou ao mercado e compro caixas e caixas de mirtilos no auge da estação, para imediato congelamento. *Voilá* (eis aí), mirtilos o ano todo.

INGREDIENTES

400 gramas de mirtilos congelados
2 colheres (sopa) de suco de limão
2 colheres (sopa) de mel
2 ¼ xícaras de leite
1 pitada de cardamomo moído

1. Tire os mirtilos do congelador 30 minutos antes de usá-los.
2. Misture no liquidificador os mirtilos, o suco de limão, o mel e o leite.
3. Adicione uma pitada de cardamomo antes de servir.*

* *Nota da Tradutora:* Cardamomo – fruto usado em condimentos.

TOMATES

O ingrediente máximo da cozinha provençal é também chamado de *pomme d'amour* – a maçã do amor. Os tomates, como qualquer criança na escola sabe, são frutas. E, à exceção dos cozidos, recomendo que devam ser comidos na estação. Não há nada que eu tenha mais vontade de comer no inverno do que um verdadeiro tomate, quando não se encontra nenhum. Mas isso faz com que a fruta no verão seja ainda mais preciosa. Não fique tentada só por uma aparência bonita. Espere a estação certa.

Fora da estação, uso os tomates cereja (bons e disponíveis o ano todo) e deixo os tomates para os poucos meses de verão, encontrando carnosos espécimes em New Jersey e outras excelentes variedades no mercado de Union Square; mas bons tomates podem ser encontrados por toda a América ao longo do verão. Além do mais, são ricos em vitaminas A e C e uma boa fonte de ácido fólico, potássio e outros nutrientes saudáveis.

Lembre-se, no entanto, de que, excetuando a variedade rara amarela (uma boa variedade visual em qualquer receita de tomate), os maduros são da cor vermelho-brilhante. Mas só a boa cor não é prova suficiente. Se não tiverem o cheiro de maduro, é porque não estão. Nunca ponha na geladeira se quiser experimentar o sabor total e natural. Deixe-os na bancada e lave-os antes de usá-los. No inverno, purê de tomate dá uma doce consistência a muitos molhos.

SALADA DE TOMATE COM QUEIJO DE CABRA

4 porções

Embora possamos achar tomates na França o ano inteiro, também não são iguais aos da estação, que vai de junho até setembro. No verão, minha família costumava comer tomates pelo menos duas vezes na semana, mas, em geral, eram três ou quatro vezes na modalidade crua, em diferentes preparações. Nesta receita, um pouco de queijo torna o prato mais saboroso, o que quer dizer que as porções de carne ou peixe, mais tarde, na refeição, podem ser menores ou mesmo eliminadas. Quase sempre usávamos queijo de cabra vindo de uma fazenda da redondeza, mas você pode usar mozzarella, como na Itália, ou feta, como na Grécia.

INGREDIENTES

Diversos tipos de alface cerca de 1 xícara por pessoa
4 tomates grandes, lavados e fatiados

MOLHO DA SALADA

2 colheres (sopa) de chalotas moídas
1 colher (chá) de mostarda
2 colheres (sopa) de vinagre
6 colheres (sopa) de azeite de oliva
250 gramas queijo de cabra fresco
Sal e pimenta moída na hora
4 colheres (sopa) de salsa (ou manjericão) picada no último minuto

1. Cubra cada prato com mesclun ou outro tipo de verde. Coloque as fatias de tomate por cima. Salgue generosamente.
2. Misture os ingredientes do molho.
3. Ponha o queijo de cabra em migalhas sobre as fatias de tomate.
4. Tempere com sal e pimenta a gosto. Adicione a salsa picada. Sirva com uma fatia de pão.

Nenhuma dúvida quanto a isso: os franceses comem muito mais cogumelos do que os americanos, em grande quantidade e total variedade. A cada outono, há uma genuína excitação, quando mais e mais cogumelos frescos são encontrados nos mercados. Os menus de restaurantes finos dão enfoque especial às preparações de cogumelos e um menu de "só cogumelos" é geralmente encarado como um banquete.

Na França rural, repleta de densas florestas, procurar os cogumelos já foi uma tarefa sazonal. Um dos charmes que não têm preço na colheita de cogumelos selvagens é o aroma dos campos e o *sous-bois* (chão da floresta). Quando era criança, saíamos logo depois do café-da-manhã, o orvalho matinal ainda pendente em cada folha. O cheiro de folhas mortas era misterioso e atraente (até hoje, posso senti-lo só em provar um vinho tinto e velhos champanhes, ou ao sentir o cheiro de um especial tipo de tabaco). Quando víamos os cogumelos, não tínhamos muita certeza se eram bons para comer; então, levávamos para minha avó, que era perita; outros procuravam o farmacêutico. (Na verdade, só os colhedores de cogumelos sem nenhuma ou com muita experiência chegam a morrer por envenenamento: o resto não se arrisca.)

Não é difícil encontrar cogumelos o ano todo na América. Estou falando dos que são cultivados em alguns lugares em úmidos porões industriais. Você sabe como são: brancos, com aparência perfeita, encimados por botões redondos em meia-lua. Há coisas piores para comer do que estes clones, mas cogumelos feios são muito mais saborosos, e os colhidos na hora são indescritivelmente mais gostosos. Os cogumelos finos estão disponíveis em lojas especializadas (alguns são venenosamente caros) e em feiras (onde também não são baratos). Mas, em se tratando de cogumelos, você deve aceitar o preço. Evite o supermercado e considere isso um luxo quando tiver condição de comprar.

Grandmère (vovó) era também perita em cuidar dos cogumelos, e ensinou minha mãe a secá-los e também a conservá-los via esterilização. Um bom cogumelo em conserva é melhor do que um fresco de má qualidade. Mas nada se compara a um cogumelo fresco e, entre os frescos, os silvestre reinam supremos. Os *Chanterelles*, também chamados *girolles* (laranja-amarelado), e os *trompettes de la mort* (pretos) eram acompanhamento de muitos pratos durante a primavera, principalmente vitela, coelho e caça. Nossa receita favorita era a mais simples: *fricassée de champignons sauvages* (ensopado de cogumelos silvestres). Os cogumelos são limpos sem água, apenas com uma toalha limpa e seca, e uma faca afiada. Um pouco de azeite e manteiga são postos na frigideira e, quando estiverem muito quentes, os cogumelos são fritos com chalotas finamente fatiadas, suco de limão, salsa e pimenta. Este aperitivo com uma taça de champanhe é, para minha mente e meu paladar, um dos melhores acompanhamentos para salgados e vinhos. Muitos anos mais tarde, descobri novamente este prato no Les Crayères, um dos melhores restaurantes de Reims, e confirmei, mais uma vez, a intuição infalível de minha avó em relação a vinho e comida. Um amigo italiano, tempos depois, cedeu-me uma receita de flan de *champignon* com queijo mascarpone e parmesão, que é igualmente excelente com champanhe.

Os cogumelos são muito apreciados há milhares de anos; os antigos chineses amavam-nos e sabiam de seus benefícios. Embora tenhamos aumentado muito as variedades do cultivo, ainda não entendemos bem o mistério do crescimento de um cogumelo perfeito. Portanto, se você mora perto de um campo ou de uma floresta onde possa colhê-los (nunca esquecendo de consultar um juiz confiável, para sua segurança), considere-se abençoada. Além do gosto e da textura incomparáveis, os cogumelos quase não contêm gordura, açúcar ou sal, mas são uma excelente fonte de fibras e são mais ricos em proteína do que a maior parte dos outros legumes frescos. São cheios de vitaminas e minerais, principalmente vitaminas B, mas estas são exterminadas quando cozidos em água fervendo; portanto, pense sempre em comê-los crus (com apenas um pouco de azeite) – o que parece inconcebível com o tipo comprado no supermercado. Todos nós devíamos comer cogumelos regularmente: crus ou cozidos, para não mencionar recheados.

SALMÃO E OUTRAS COISAS QUE NADAM

Se você nasceu há pouco tempo e mora em uma cidade, provavelmente pensa que virtualmente todas as variedades de peixes estão disponíveis o ano inteiro, principalmente o salmão. Você o vê por toda parte, agora mais do que nunca, depois que foi anunciado como cura milagrosa para tudo, desde doença do coração até rugas. Todos nós já ouvimos que comer salmão, com sua extraordinária concentração de boas gorduras, reduz a pressão sangüínea, afina o sangue, dilata os vasos, regula os batimentos e combate o câncer, entre outros benefícios. Vocês se lembram dos filmes de natureza, sobre o modo heróico dos salmões, subindo contra a correnteza para desovar na primavera, a maior parte morrendo na tentativa? O verdadeiro salmão é um alimento sazonal.

Para suprir a fabulosa demanda do ano inteiro, grandes quantidades de salmão vêm de grandes fazendas que geram terríveis pressões ambientais um salmão relativamente pobre dos nutrientes responsáveis pela fama que o peixe tem. Já pesquei salmão no Alasca e comi minha pesca no almoço. Não há comparação entre a cor e o gosto do que está passando por salmão e o salmão selvagem nativo, que, em diversas partes do país, é duas vezes mais caro. Isto é apenas oferta e procura; não há salmão suficiente para suprir a demanda. Porém, mais é inquestionavelmente menos no que concerne ao salmão. Embora ele perca um pouco do gosto da textura, é melhor comprar salmão selvagem congelado do que comprar os criados em fazendas.

Quase não há restaurante na França que não sirva salmão de maneiras diferentes; antes do tempo do salmão criado em fazendas, vinham da Noruega ou da Escócia (ainda hoje, a escolha dos europeus amantes da comida). O prato mais comum de todas as apresentações é o *saumon fumé* (salmão defumado), perfeito como aperitivo em festas, jantares e coquetéis, porque não requer preparação. Salmão defumado servido na torrada com uma taça de champanhe é um clássico (a oleosidade e a salinidade do salmão combinam divinamente com a acidez do champanhe). O salmão é muito versátil e se presta a qualquer gosto: combine alguns gramas deste bom alimento, cru ou cozido (servido quente ou frio), com batatas, arroz, alho-poró, funcho – qualquer legume que seja seu favorito. O salmão é gostoso com endro, alecrim e manjericão, cominho, alcaparra, limão e muitos outros. Tente salmão com molho azedo, um prato simples e elegante para fazer em casa, mas, no critério simplicidade, nada igual a *Saumon à l'Unilatéral*, que sirvo num estalar de dedos, porque leva exatamente seis minutos para preparar.

Meu tio Charles possuía um hotel spa e, nos primeiros dias da "*nova cozinha*", ensinou-me maneiras simples e bem testadas de comer *light*, porém com sabor. Costumava preparar este prato para os hóspedes mais ambivalentes. Estavam pagando por uma "cura", mas tinham inclinação para indulgência, porque, na cabeça deles, estavam de férias. Uma lição útil: ninguém quer pagar por privação. Este prato incrivelmente fácil e saudável seria uma boa solução, pensava ele, para aqueles que insistiam em terminar refeições com *l'omelette norvégienne*, que é a sobremesa de sorvete mais substancial em toda a França.

SALMÃO UNILATERAL (COZIDO APENAS DE UM LADO)

4 porções

INGREDIENTES

4 peças de salmão selvagem com 120g cada

½ colher (chá) de sal grosso

1 colher (sopa) de suco fresco de limão

1. Aqueça uma frigideira não-aderente, coloque o salmão com o lado da pele para baixo, regue com limão, adicione o sal e cozinhe por cerca de 6 minutos em fogo médio, até que a pele fique tostada. (Corte um pedaço para determinar o grau de cozimento que deseja, tal como malpassado – cor-de-rosa no centro –, o que preserva a maior parte do gosto natural.)
2. Sirva imediatamente. Tempere, se desejar, com um pouco de azeite extravirgem e um ramo de tomilho fresco.

Quando não se consegue salmão, temos outras escolhas. Todo fim de semana, visito a banca de peixe do mercado da Union Square e compro arraia ou atum que acabaram de ser pescados. Os melhores cozinheiros de Nova York vão lá ou diretamente a um entreposto de pesca. Na realidade, o mercado de peixe – e qualquer cidade portuária tem um – não é um passeio pelo jardim botânico. Poucos, a não ser os profissionais, vão ter tempo ou vontade, mas experimente uma vez, para ver a diferença. Peixe fresco não tem cheiro de peixe. A carne não parece esponjosa. Se souber determinar a sua qualidade, é possível encontrá-lo em uma boa loja. Economiza tempo: um bom peixe é a coisa mais fácil de cozinhar.

FRUTOS DO MAR E OSTRAS

Gosto muito de mariscos, aqueles medalhões doces carnudos e saborosos que têm uma época certa, talvez final de outubro, princípio de novembro, até março. É a única época em que a maior parte dos restaurantes em Brittany, a meca de frutos do mar na França, tem no cardápio. Mariscos são mais populares no fim do ano, como fui lembrada no meu bistrô favorito em Paris, o Benoît, em novembro. É um daqueles lugares onde tudo é *comme il faut* (como deve ser), mas, mesmo assim, perguntei ao garçom: "O que está bom hoje?"

"Madame", retrucou, como se tivesse pena de mim, "os mariscos, é claro!" Estava certo.

Comer ostras é outra experiência singular. Não são tão caras quanto o caviar, mas, de certa maneira, representam o auge da sofisticação no século XXI (no século XIX eram baratas, comuns e um tanto proletárias). E o que é mais fácil de servir? Foi Escoffier, o lendário Chef parisiense, quem, por volta do século XX, introduziu a prática de servi-las sobre um leito de gelo moído, com suas meias conchas como se fossem pequenas taças para o delicioso sumo salgado. Um rápido apertar de um limão e alguns grãos de pimenta complementam maravilhosamente o sabor natural. E embora as ostras sejam um paladar adquirido, se experimentarem uma vez, vão sentir-se apaixonadas por aquela maravilha marinha deslizando por sua garganta. Não é por nada que os hedonistas consideram comer ostras igual a uma sedução. E alguns vão acrescentar que a verdadeira delícia sensual é aumentada ao ver outra pessoa saboreá-la em nossa companhia.

Meu marido gosta de contar a história de nossa primeira viagem para conhecer Brittany, no início de nosso casamento. Para ele, significava a paisagem, o mar, as semelhanças com a Inglaterra, a arquitetura, a história. Eu também estava interessada nessas coisas, mas, francamente, estava mais ansiosa por experimentar as ostras, os mexilhões, os crepes de Brittany e sua maravilhosa variedade de biscoitos. Fomos primeiro a uma pequena e linda pousada perto do mar, para visitar as camas de ostras. Eram servidas às dúzias em uma pequena cabana ali perto e, embora fosse cedo para o almoço, resolvemos pedir algumas. Sentamos ali, a sós, encomendamos, e a primeira coisa que consigo lembrar foi a gargalhada alta de Edward. Olhando para o prato posto à nossa frente, eu perdera qualquer noção de estar ali com outra pessoa extasiada com o cheiro das conchas marinhas e do seu precioso fruto. E enquanto eu estava concentrada engolindo aquelas pequenas porções, Edward disse que nunca havia visto antes alguém "saborear" ostras daquele jeito. Era apenas nossa segunda dúzia.

No dia seguinte, ensinei-lhe a comer mexilhões: não havia necessidade de garfo, era só usar as primeiras conchas vazias e tirar a carne de cada mexilhão. Com um copo ou dois de Muscadet, tivemos diversos dias de fabulosos almoços, baixos em calorias, altos em minerais e vitaminas. Ostras também podem ser o principal elemento de uma refeição surpreendentemente balanceada, contendo proteína, carboidratos e apenas um pouco de gordura (para não falar da riqueza de vitaminas e minerais). Fico sempre espantada com o fato de que meia dúzia de ostras têm apenas de 60 a 70 calorias. Como um grande amor, dão muito em retorno, sempre algo novo, nunca tedioso. Quando estamos em Paris, lugares como Le Dôme, que servem-nas brilhantemente, tornaram-se nossos pontos prediletos e agora, mais do que nunca, há vários maravilhosos tipos de ostras que são encontrados em bares em toda a América. Graças às boas práticas de cultivo, sempre atendendo à demanda de maneira estável, mas sem explosão, a época é bem longa: virtualmente o ano todo, mas o auge é no outono e no inverno (a regra sobre os meses com "r" é anterior à refrigeração). No entanto, tenha cuidado durante os meses de verão. Nós, franceses, consideramos as ostras como um dos rituais de fim de ano. Visite um mercado francês no Natal e, principalmente, na véspera do Ano-Novo, e vai ver caixotes e caixotes esperando bocas ávidas em todo o país.

JUNTANDO TUDO

O planejamento de um menu sazonal torna-se fácil assim que você aprende o que é melhor e compara-o com seus sabores favoritos. Aqui estão alguns exemplos de menus que são excelentes para a estabilização. Quando passar desta fase, você pode substituir elementos mais "substanciais" – por exemplo, *clafoutis* feitos com farinha.

• Primavera (*Menu do Dia*) •

Café-da-manhã

Iogurte

Cereal com morangos

Fatia de pão integral

Café ou chá

Almoço

Flan de Aspargos (página 75)

Salada verde

Ameixas *clafoutis* sem massa (página 63)

Bebida sem calorias

Jantar

Sopa de ervilhas

Costeletas de carneiro grelhadas (página 76)

Couve-flor gratinada (página 77)

Compota de ruibarbo

Taça de vinho tinto

FLAN DE ASPARGOS

4 porções

INGREDIENTES

16 talos de aspargos
125g de bacon cortado
8 ovos
2 xícaras de leite
1 xícara de creme de leite fresco
8 molhos de cerefólio fresco e picado
Sal e pimenta moída na hora

1. Corte as partes duras dos aspargos (cerca de 5cm). Descasque os aspargos. Ferva-os em água salgada por 5 minutos. Seque e deixe esfriar. Corte cada unidade em pedaços de 5 a 7cm.
2. Frite o bacon em uma frigideira não-aderente até que fique tostado. Seque no papel-toalha.
3. Junte os ovos, o leite, o creme e a metade do cerefólio. Tempere com sal e pimenta. Preaqueça o forno a 350°. Coloque a mistura dos ovos em uma fôrma de torta de 27cm de largura com 6cm de altura. Sirva imediatamente, decorado com o resto do cerefólio.

SE NÃO QUISER USAR O BACON, PODE SUBSTITUÍ-LO POR CARNE DE CARANGUEJO, FRESCA OU ENLATADA.

SALSA OU CEBOLINHA PODERÃO SER USADAS COMO SUBSTITUTAS DO CEREFÓLIO.

COSTELETAS DE CARNEIRO GRELHADAS

4 porções

1. Coloque as costeletas em uma assadeira.
2. Misture o azeite, a mostarda e as chalotas no processador de cozinha e acione até que uma pasta de textura média seja formada. Espalhe a pasta em cada lado das costeletas, tempere-as com sal e pimenta e deixe descansar em temperatura ambiente por 30 minutos.
3. Asse ou grelhe as costeletas 3 minutos de cada lado, para ficar no ponto. Sirva imediatamente.

INGREDIENTES

8 costeletas de carneiro
4 colheres (sopa) de azeite de oliva
1 colher (sopa) de mostarda de Dijon
4 chalotas médias
1 xícara de hortelã fresco
Sal e pimenta moída na hora

COUVE-FLOR GRATINADA

4 porções

INGREDIENTES

1 couve-flor tamanho médio
2 copos de leite
½ colher (chá) de sal
1 ovo
½ xícara de queijo ralado (Gruyére, Suíço, Jarlsberg, Comté, Parmesão ou Pecorino, ou uma mistura de dois deles)
1 colher (sopa) de manteiga
Sal e pimenta fresca moída na hora

1. Corte a couve-flor, separe as flores e cozinhe no leite com ½ colher (chá) de sal, até que elas fiquem tenras (10 a 15 minutos). Seque, reservando ⅓ da xícara do leite.
2. Arrume a couve-flor cozida em um prato (pirex) levemente amanteigado. Bata o ovo, junte o leite reservado. Adicione o queijo e jogue por cima da couve-flor. Acrescente sal e pimenta. Ponha a manteiga.
3. Asse o gratinado até que fique marrom e borbulhante.
4. Sirva quente.

• Verão – *Menu du Jour* (Menu do dia) •

Café-da-manhã

Fatia de queijo (fina)

½ xícara de mingau com mirtilos

Café ou chá

Almoço

Sanduíche de bacon, alface e tomate

Xícara de framboesas

Bebida sem calorias

Jantar

Frango grelhado com alecrim (página 79)

Funcho gratinado

Salada de rúcula

Pêssegos grelhados com tomilho (página 80)

Copo de vinho branco ou tinto

FRANGO GRELHADO COM ALECRIM

4 porções

INGREDIENTES

4 peitos de frango com pele e ossos
Suco de 1 limão
4 colheres (sopa) de azeite de oliva
4 dentes de alho picados
Galhinhos de alecrim fresco
Sal e pimenta fresca moída na hora

1. Coloque os peitos de frango em uma assadeira, com o lado da pele para cima. Misture o azeite, o suco de limão, o alho e o alecrim e jogue tudo em cima do frango. Tempere com sal e pimenta. (Pode também fazer isso em 5 minutos, de manhã.) Cubra com plástico, deixe marinar pelo menos duas horas na geladeira.
2. Deixe os frangos em temperatura ambiente antes de grelhar com o lado da pele para cima por 15 minutos e depois para baixo, por 20 minutos.

PÊSSEGOS GRELHADOS COM TOMILHO

4 porções

Pêssegos são frutas delicadas e é difícil – mesmo na estação – encontrar espécimes perfeitos para comer ao natural. Para esta sobremesa, não tem importância; mesmo que estejam duros, vão servir, porque o cozimento vai torná-los tenros e fazer com que soltem o suco e adquiram sabor.

INGREDIENTES

4 pêssegos
2 colheres (sopa) de azeite de oliva
1 colher (chá) de mel
¼ colher (chá) de essência de baunilha
4 ramos de tomilho grosseiramente picados

1. Limpe os pêssegos, seque, corte-os ao meio e remova seus caroços. Coloque as metades dos pêssegos em uma assadeira. Misture o azeite, o mel e o extrato de baunilha e jogue tudo por cima dos pêssegos. Borrife com suco de limão. Deixe marinar por 20 minutos, virando uma vez e regando.
2. Asse ou grelhe os pêssegos marinados por 2 ou 3 minutos de cada lado, ou até que fiquem tenros, mas sem deixar amolecer. Sirva imediatamente, simples ou com uma bola de sorvete de creme.

• Outono, *Menu du Jour* (Menu do dia) •

Café-da-manhã

Meio grape-fruit

Omelete com ervas mistas e ricota (página 82)

Fatia de pão (integral)

Café ou chá

Almoço

Sopa de lentilhas (página 96)

Salada *Caesar*

Ameixas

Bebida sem calorias

Jantar

Papelotes de linguado (página 83)

Champignon

Peras cozidas com canela (página 84)

Taça de champanhe ou vinho branco

OMELETE COM ERVAS MISTAS E RICOTA

4 porções

Considero esta receita um excelente café-da-manhã para o fim de semana, principalmente se tiver hóspedes. É um prato que satisfaz plenamente, precedido por alguma fruta e pão; pode ser preparado antes de sentar-se à mesa. É servido com vários tipos de pães (o integral, os sete grãos e o de fermento são boas combinações e acompanhamento para as ervas e os sabores do tipo agridoce).

1. Lave e pique as ervas, misture com salsa, cebolinha, cerefólio, coentro, pimentão e pimenta-caiena. Aqueça o azeite em uma frigideira antiaderente. Coloque a mistura de ervas e cozinhe por 1 minuto, mexendo sempre. Tire do fogo e reserve.
2. Bata os ovos com a água. Adicione a mistura de temperos, sal e pimenta. Derreta a manteiga na frigideira e adicione a mistura de ovos e ervas. Mexa e acrescente o queijo. Cozinhe de 3 a 4 minutos e sirva imediatamente ou quando amornar.

INGREDIENTES

2 colheres (chá) de cada uma das ervas: salsa, cebolinha, cerefólio e coentro
1 colher (chá) de pimentão
Chalota picada
Pitada de pimenta-caiena
1 colher (sopa) de azeite de oliva
10 ovos
2 colheres (sopa) de água
Sal e pimenta fresca moída na hora
1 colher (sopa) de manteiga
4 colheres (sopa) de ricota ou queijo mascarpone

PAPELOTES DE LINGUADO

4 porções

Este é um outro prato simples que pode ser preparado antes e posto no forno quando seus convidados estiverem saboreando os aperitivos. Acredito no princípio de comer peixe uma ou duas vezes por semana. Mas tenho notado muitas cozinheiras sem prática que ficam intimidadas com a idéia de preparar peixe, principalmente inteiro; portanto, estou sempre à espreita de preparações rápidas e fáceis. Você pode substituir o linguado nesta receita por tamboril (*monkfish*), dourado, pardo, salmão, bacalhau, perca ou peixe-espada. O tempo de cozimento será mais rápido com peixes mais leves, como o linguado, e mais demorado com peixes mais carnudos, como o peixe-espada.

INGREDIENTES

2 colheres (chá) de azeite
4 filés de linguado, com cerca de 120 gramas cada
1/2 xícara de champagne (recomendamos Veuve Cliquot rótulo amarelo ou brut)
8 ramos de tomilho fresco
8 rodelas finas de limão
8 ramos de salsa
2 colheres (chá) de semente de funcho
Sal e pimenta fresca moída na hora

1. Corte 8 pedaços de papel-alumínio, em quadrados bastante grandes, para cobrir cada filé de peixe, deixando uma sobra em toda a volta. Pincele levemente os quatro quadrados de papel com o azeite. Preaqueça o forno a 375°.
2. Coloque cada filé no centro de cada quadrado azeitado e borrife com champanhe. Junte dois raminhos de tomilho e ½ colher (chá) de sementes de funcho para cada filé de peixe. Tempere com sal e pimenta.
3. Coloque os quadrados de papel sobre os filés e dobre as extremidades para formar embrulhos. Dobre os quatro lados: é o suficiente para selar cada um por 10 a 15 minutos. Ponha os papelotes em uma assadeira e asse em forno pré aquecido
4. Sirva colocando cada "papelote" em um prato. Deixe que os convidados abram os embrulhos e ponham o molho sobre os peixes. *Voilà* – dramaticidade e sabor!

PODE USAR VINHO BRANCO SECO OU VERMUTE, EM VEZ DE CHAMPAGNHE.

PERAS COZIDAS COM CANELA

4 porções

1. Descasque as peras, corte em quatro e depois em fatias finas, uma de cada vez. Coloque as fatias no fundo de uma panela. Depois que as fatias estiverem em camadas, polvilhe com um pouco de suco de limão e a mistura de açúcar com canela. Quando chegar à quarta pêra, junte a água e o restante do suco de limão e o açúcar com canela.
2. Cozinhe em fogo médio até ferver; então, cubra e continue em fogo baixo até que as peras estejam macias, mas não moles. Sirva as peras mornas (geralmente faço esta sobremesa quando estou sozinha e refrigero o restante. Dois dias mais tarde, tiro da geladeira enquanto faço o jantar e sirvo em temperatura ambiente com biscoito ou uma colher (chá) de queijo mascarporne).

INGREDIENTES

4 peras
Suco de 1 limão
1 colher (sopa) de açúcar misturado com ¼ de colher (chá) de canela
2 colheres (sopa) de água (ou 2 colheres (sopa) de aguardente de pêra ou 2 colheres de pêra ou 2 colheres (sopa) de Muscat Beaumes de Venise

Café-da-manhã

1 fatia de presunto

Papa de aveia de vovó Louise com maçãs raspadas (página 86)

Metade de um *english muffin* (pãozinho)

Café ou chá

Almoço

Vitela a parmeggiani

Abóbora

Kiwi

Bebida sem caloria

Jantar

Sopa de legumes da mamãe (página 92)

Salmão unilateral (página 71)

Salada de endívia

Abacaxi grelhado (página 87)

Taça de vinho tinto leve

PAPA DE AVEIA DA VOVÓ LOUISE COM MAÇÃS RASPADAS

2 a 4 porções

Quando visitávamos minha avó na Alsácia nevada, ela costumava servir-nos um delicioso e completo café-da-manhã, rico em fibras e nutrientes de frutas. Ainda é um dos meus cafés-da-manhã favoritos: verdadeira comida de bebê para adultos. Vovó servia geralmente suas variações de cereal com brioche recém-assado ou kugelhopf (um bolo maravilhoso com passas e amêndoas, que é uma das especialidades da Alsácia). Hoje, eu às vezes considero uma refeição completa e não como o pão. Se quero um pouco mais de proteína, como um pedaço de queijo ou um iogurte.

INGREDIENTES

1 xícara de aveia
2 1/3 de xícaras de água
Pitada de sal
½ colher (chá) de suco de limão
1 maçã média raspada
1/3 de xícara de leite
½ colher (chá) de manteiga

1. Misture aveia, água e sal. Deixe ferver.
2. Adicione a maçã raspada, o suco de limão e cozinhe por 5 minutos, mexendo de vez em quando.
3. Adicione o leite e a manteiga. Mexa bem e cozinhe por 1 minuto. Sirva imediatamente, talvez com um salpico de açúcar mascavo ou um pouco de xarope de *maple*.

ABACAXI GRELHADO

4 porções

INGREDIENTES
4 fatias grossas de abacaxi fresco
Suco de 2 limões
2 colheres (chá) de mel
Pimenta moída na hora

1. Faça cortes com uma faca em cada fatia da fruta para ter uma bonita apresentação. Depois de grelhar o abacaxi, asse-o até que fique cor de caramelo, mas tenha cuidado para não queimar.
2. Em uma pequena panela, ferva o suco de limão e o mel por 2 ou 3 minutos. Esfrie e adicione a pimenta fresca a gosto e salpique sobre as fatias do abacaxi. Sirva imediatamente assim ou com uma bola de sorvete de verbena.

SE SERVIR ESTA SOBREMESA EM UM ALMOÇO DE FIM DE SEMANA, DEPOIS DE UMA GRANDE SALADA MISTA, SUBSTITUA O SORVETE POR QUEIJO DE CABRA FRESCO OU RICOTA. APESAR DE NÃO TER A COMBINAÇÃO APIMENTADA-DOCE-SUCULENTA, O ASPECTO APIMENTADO VAI FICAR MAIS ATRAENTE, E A COMBINAÇÃO QUEIJO COM ABACAXI É DIFERENTE E REFRESCANTE.

7

MAIS RECEITAS QUE ILUDEM

Produtos sazonais (comer o melhor no auge da estação) e temperos (a arte de escolher e combinar sabores para complementar os alimentos) são vitais para combater o pior inimigo dos que amam comer bem: não, não são as calorias, e sim o tédio. Coma a mesma coisa da mesma maneira, dia após dia, e vai necessitar de algo mais para conseguir o mesmo prazer. (Pense nisso como "tolerância do paladar".) Tenha apenas um prato saboroso no jantar (seja um grande prato de massas ou um grande pedaço de carne), você estará fadada a comer demais, à medida que buscar a satisfação no volume, em vez do entrelaçamento de sabores e texturas que advêm de uma refeição bem planejada.

Saber jogar com as estações e com os temperos é onde as francesas mais se sobressaem. Muitas delas têm também que dosar o tempo entre a carreira e a família. Então, não é que tenham muito mais tempo do que as outras mulheres para imaginar novas criações a cada semana. Apenas têm mais truques dentro das mangas. Como as francesas têm um toque sem igual para usar a mesma echarpe criando diferentes efeitos, enrolando na cabeça ou no pescoço, nos ombros ou na cintura, na cozinha dominam como ninguém algumas preparações básicas e deixam o resto para a improvisação; a arte de transformar uma tarefa rotineira em algo que pareça totalmente diferente. Fazem isso alterando ligeiramente a preparação ou o tempero, modificando o que antes era uma entrada em um aperitivo, ou transformando as sobras do almoço em algo bem diferente para refeições futuras. Trata-se apenas de manipular a maneira como seus cinco sentidos irão reagir diante do que será colocado à frente deles. E pode ser tão simples como escolher o mais raro tomate amarelo entre a tradicional variedade dos vermelhos. (Variedade visual, cor e apresentação são fatores que não podem ser esquecidos no prazer de comer.) Mas, quando você planejar suas refeições, deve pensar em termos que envolvam todos os sentidos. Essa é a razão pela qual a frescura, a qualidade e outras sensações ditam o que vamos sentir em relação à nossa alimentação.

Há boas e más maneiras para "iludir a si mesma", quando o assunto é comer. Muitas vezes, nossos alimentos não são o que parecem ser. Por exemplo, o açúcar. Ele não se encontra apenas nas sobremesas. Costumava ser um truque adicionar um pouco no molho de tomate, mas, hoje em dia, a maior parte dos restaurantes considera isso obrigatório. A mesma tendência adoçante pode ser observada no vinagre balsâmico. Há dez anos, era uma raridade – como devia ser, pois o verdadeiro balsâmico é raro e caro. Mas, agora, como a demanda aumentou, quase todos os restaurantes usam livremente um balsâmico barato e falsificado no qual caramelo e cor escondem a ausência de sabores pelos quais o verdadeiro vinagre é apreciado. Gordura é outra coisa que alguns restaurantes usam como ajuda. Se os ingredientes não são de primeira qualidade, um pouco de manteiga é um rápido ajuste para tornar o prato mais saboroso.

Apesar da reputação de ser uma cozinha farta de manteiga, a maneira francesa de cozinhar, hoje em dia, usa relativamente pouca gordura, preferindo encontrar o bom paladar em outros elementos. E somos ainda mais parcimoniosos quando se trata de açúcar. Mas conseguimos isso apenas porque trabalhamos com ingredientes de boa qualidade. Tomates frescos amadurecidos no tempo certo contêm toda a doçura que se possa almejar. Mas é impossível falsificar um bom tomate. Escolha aquele que seja bom, que esteja na estação certa e passe a agir sempre assim de agora em diante.

Agora, como podemos iludir-nos de maneira certa? Ainda queremos *faire simple* (agir de maneira simples). Quando peço alguma coisa em um restaurante, prefiro os pratos complicados, difíceis de fazer. (No entanto, preocupo-me sempre em perguntar ao garçom como os pratos são preparados. Essa forma simples de interrogação não requer conhecimento especial, mas pode evitar centenas de calorias escondidas na refeição.) Entretanto, quando cozinho em casa, o que acontece diversas vezes na semana, exijo o melhor resultado pelo esforço e pelo dinheiro. Nada me agrada mais do que os oohs e aahs, alguns ditos juntos, literalmente, em relação aos ingredientes.

As receitas que darei a seguir vêm, em sua maior parte, da experiência de minha família. Em cada uma, ilustro uma maneira de comer de forma simples, mas com grande satisfação. Também indico variações fáceis que podem fazer com que o mesmo prato pareça diferente ou mostro como um prato pode ser usado novamente como base de uma refeição subseqüente. Cozinhe uma só vez e coma por três dias: é um princípio comum.

A maneira de apresentar um prato é sumamente importante. Algumas coisas oferecem estímulo sensorial suficiente para, virtualmente, bastar-se pelo menos como a mais leve refeição do dia; estes ingredientes precisam apenas de pequenos acompanhamentos, digamos, um pedaço de pão. Outros são interessantes apenas como entrada, abrindo mais o apetite do que satisfazendo-o decisivamente.

É importante saber se a refeição que está servindo é a principal do dia. Na França, assim como na Europa, é o almoço. Se for um almoço completo acompanhado de vinho (que na França é por vezes subsidiado via *vouchers* nos restaurantes – *ah, la France!*), considere as sopas como nosso tipo mais versátil de alimentação. Pode colocar uma porção em uma xícara (hoje mais freqüentemente servida em pequenas tigelas, dentro do prato de jantar) como aperitivo ou entre o aperitivo e a entrada. Lembre-se de que a refeição burguesa formalizada no século XVIII era a seguinte: *potages* (sopa), *hors d'oeuvres*, *relevés de potage* (prato que vem logo depois da sopa), entradas, *rôti* (assado), *entremets* (prato leve), sobremesa, café e *pousse-café* (licor depois do café). São poucos os que podem comer tantos pratos hoje. Se estiver planejando um grande almoço, pode pensar na sopa como prato principal. No jantar, ela pode ser servida com pão ou com um pouco de queijo. Se o jantar for a grande refeição, faça sopa ou salada no almoço. Seja qual for a refeição mais importante do dia, almoço ou jantar, tenha em mente que uma delas deve ser sempre mais leve.

SOPAS E APERITIVOS

Cada um desses pratos pode ser usado de duas maneiras. Se for o principal evento da refeição mais leve do dia, a porção pode ser um pouco aumentada. Mas, se for um aperitivo para a principal refeição, sempre capriche no lado de "pouco demais". Muitos se esquecem do significado literal de "aperitivo". Satisfação não é uma sensação que deva vir logo após o primeiro prato de sua principal refeição.

SOPA DE LEGUMES DA MAMÃE

8 a 12 porções

No verão, tomamos nossas sopas frias; no inverno, fervendo. A teoria prova que os franceses que tomam sopa até cinco vezes por semana no jantar comem melhor e menos. Nosso café-da-manhã é farto, nosso almoço, completo, e o jantar, menos elaborado (mas não menos saboroso). Quem toma sopa à noite consome menos gordura e menos comida, sentindo-se saciado por toda a noite, quando então acorda desejando uma "refeição verdadeira" para sustentar-se durante toda a manhã.

Fazíamos uma dúzia de variações no tema "sopa de legumes", dependendo do que tínhamos no jardim, na estação. Minha mãe, normalmente, fazia sopa nas quintas para o almoço, pois tinha mais tempo para cozinhar naquele dia, e servia com panquecas de batatas (para as mulheres da família) e panquecas de maçã (que os homens preferiam). (Não queira saber por quê: mamãe sempre protegeu mais os meninos.) Sua sopa era considerada "a melhor", de acordo com minhas tias e meus primos, por causa do toque final.

INGREDIENTES

2 batatas
1 cebola descascada e cortada em quatro
2 dentes de alho descascados
Sal e pimenta moída na hora
4 alhos-poró (só as partes tenras verdes e as brancas)
½ repolho pequeno
3 talos de aipo
2 nabos
4 cenouras
4 colheres (sopa) de manteiga
2 xícaras de tomates (picados ou inteiros)
2 galhinhos de salsa
2 galhinhos de tomilho
2 folhas de louro

1. Descasque, lave e corte as batatas em pedaços. Coloque em uma panela pequena e cubra com água. Adicione cebola, alho, sal e pimenta. Deixe ferver, diminua o fogo e cozinhe até que fique tenra (cerca de 10 minutos). Reserve.
2. Lave os outros legumes e corte em fatias ou cubos. Derreta as quatro colheres de manteiga em uma panela e ferva os legumes, mexendo sempre (5 minutos). Este procedimento elimina os aromas mais agressivos dos legumes frescos.
3. Adicione os tomates, as batatas, a cebola, o alho e cubra tudo com água. Coloque tomilho, salsa, louro e cozinhe até que todos os legumes estejam tenros. Tire as folhas de louro. Escorra os legumes e reserve o líquido cozido.
4. Faça um purê de legumes no processador usando o disco próprio. Afine a sopa com o líquido reservado aos poucos, para atingir a consistência que preferir (não deve ficar aguado nem grosso demais).
5. Corrija o tempero e adicione as ervas frescas de sua escolha.

TRUQUES OPCIONAIS PARA ACABAMENTO

Deixe a sopa ferver. Na frigideira, frite a cebola em fatias finas junto com uma colher (sopa) de manteiga. Adicione à sopa. Junte o creme fresco a noz-moscada, o sal, a pimenta e sirva imediatamente.

Se desejar, antes de colocar os legumes no processador, reserve 2 xícaras e junte à sopa apenas quando for servir. Os legumes vão contrastar com o aveludado da sopa e vão forçá-la a comer bem mais devagar, satisfazendo-a com menos quantidade: a variante de almoço leve era acompanhada pelas panquecas deliciosas de mamãe.

INGREDIENTES

1 cebola descascada e cortada em fatias finas
1 colher (sopa) de manteiga
4 colheres (sopa) de *crème fraîche*
1 pitada de noz-moscada moída na hora
Sal e pimenta

Você também pode se divertir um pouco com temperos diferentes. Tente dentes de alho amassados, cominho ou açafrão.

Outra maneira: Mamãe reservava metade dessa sopa antes de dar o toque final e servia dois dias mais tarde, adicionando uma salsicha que teria sido refogada em um pouco de azeite e depois mexida junto com a sopa. *Voilà*, outra refeição noturna, simples, satisfatória e nutritiva, feita em apenas 15 minutos.

SOPA FRIA DE VERÃO BETERRABA E IOGURTE

4 porções

Esta sopa fria e espessa era sempre um sucesso na casa de minha prima, na Provence. Fácil de preparar, fácil de servir, é refrescante e satisfaz, com o iogurte dando a proteína e eliminando a necessidade de peixe ou até de carne mais tarde, na refeição. Não apenas as beterrabas, que têm uma longa estação da primavera até o verão, são ricas em fibras, mas também sua cor brilhante atrai o olhar. Esta receita pode ser usada como um aperitivo em um jantar de verão ou como prato principal no almoço.

INGREDIENTES

4 beterrabas médias cozidas até ficarem tenras, depois descascadas e cortadas em quatro
2 xícaras de iogurte
2 chalotas descascadas e picadas
Uma pitada de cominho
Sal e pimenta moída na hora
1 colher (sopa) de endro

1. Misture as beterrabas (devem estar em pedaços mastigáveis, para levar mais tempo para comer do que se estivessem em purê) com o iogurte, as chalotas, o cominho, o sal e a pimenta a gosto. Refrigere de 3 a 4 horas.
2. Sirva as beterrabas geladas em taças individuais polvilhadas com endro. Sirva com uma fatia de pão e uma fruta (morangos ou melão) como sobremesa; é um excelente almoço de verão.

MOLHO PICANTE DE RAIZ AIPO

4 porções

O aipo é usado como o *coleslaw* (americano) na cozinha francesa, embora tenha um gosto diferente do repolho. Toda família francesa e todo bistrô que se preze parecem ter uma receita diferente. Geralmente o molho de aipo é servido junto com um prato de cenouras raladas em um molho de salada. Esses legumes crus são um prato típico de outono ou inverno para um começo de almoço *en famille*. A raiz de aipo cozida também pode ser usada em sopa, misturada com batatas, para um ótimo e refinado purê. Tostada, a raiz de aipo (também conhecida como aipo-rábano) é excelente acompanhamento para pato e caças.

INGREDIENTES

1 colher (sopa) de vinagre de vinho tinto
1 colher (chá) de mostarda
1 colher (sopa) de suco de limão
1 colher (sopa) de salsa picada
1 colher (sopa) de pepino
Sal e pimenta fresca moída
½ xícara de maionese
½ quilo de raiz de aipo descascada, cortada em quartos e batida no processador, misturada com 1 colher (chá) de suco de limão, para evitar descoloração

1. Em uma vasilha, crie o molho misturando a mostarda, o vinagre, o suco de limão, a salsa e os pepinos. Tempere com sal e pimenta a gosto.
2. Misture a maionese e junte a raiz de aipo cortada. Tempere a gosto e refrigere.
3. Tire da geladeira 20 minutos antes de servir e mexa para deixá-lo leve. Sirva com uma fatia de pão.

VOCÊ PODE SUBSTITUIR A SALSA POR ALGUMAS ERVAS MISTAS OU CEREFÓLIO FRESCO E ESTRAGÃO, MAS NÃO VAI MAIS SER A VERSÃO CLÁSSICA.

SOPA DE LENTILHAS

4 porções

Por alguma razão, quando éramos crianças, resolvemos que não gostávamos de lentilhas, mas sim de alho-poró e salsichas, então *tante* Berthe usava este truque para nos iludir.

INGREDIENTES

250g de lentilhas
100g de alho-poró, lavado e picado, e só as partes brancas
100g de aipo, lavado e picado
100g de cenouras lavadas e picadas
1 cebola com um cravo enfiado
1 folha de louro
Sal e pimenta moída na hora
4 salsichas de Strasbourg (de boa qualidade)
2 colheres (sopa) de manteiga
2 colheres (sopa) de farinha de trigo

1. Coloque as lentilhas lavadas em uma panela. Acrescente por cima 3/4 de água. Deixe ferver.
2. Adicione os legumes e temperos. Cozinhe por 1 hora.
3. No final do cozimento, corte as salsichas em pedaços grossos e frite em uma colher (sopa) de manteiga. Adicione às lentilhas. Derreta o restante da manteiga com a farinha e adicione à sopa para engrossá-la. Prove e corrija o tempero antes de servir.

BATATAS COM CAVIAR

4 porções

Na França as batatas são um assunto sério. Há um tipo para fritar, outro para amassar. Um para assar e assim por diante. Compramos em grandes sacos e guardamos no sótão. O único tipo que plantávamos no jardim era a deliciosa charlotte, uma variedade pequena e suculenta, com um gosto especial e polpa firme, que Mamãe sempre dizia ser o melhor para caviar. Caviar é caro, mas um pouco pode enfeitar algumas batatas, principalmente para visitas de última hora. Pode substituir por salmão, caviar doméstico ou simplesmente cebolinhas picadas.

1. Lave as batatas e cozinhe em água levemente salgada até que estejam cozidas, mas não desmanchando. Escorra e corte em fatias de 2 centímetros.
2. Tempere o creme fresco com o sal e pimenta a gosto e coloque em cada fatia de batata. Guarneça com caviar. Sirva imediatamente.

INGREDIENTES

4 batatas como alternativa para as charlottes francesas
150g de *crème fraîche*
Sal e pimenta moída na hora
112g de caviar

RATATOUILLE

12 porções

Outro clássico francês, na opinião de minha mãe (baseado em uma receita de meu primo André, em Aix-en-Provence), é um prato que ainda faço no verão, quando há mais variedade de legumes. Posso fazer dele diversas refeições. Quase sem gordura, o ratatouille parece mais substancial com o suco vindo dos próprios legumes. Para conseguir o melhor sabor, é necessário cozinhar em fogo lento.

INGREDIENTES

1,250 kg de tomates
1,250 kg de abobrinha
1,250 kg de berinjela
12 dentes de alho
1 ramo de salsa (ou manjericão)
Sal e pimenta moída na hora
2 colheres (sopa) de azeite de oliva extravirgem
Salsa fresca picada ou manjericão para enfeitar

Esta primeira versão é servida como sopa em temperatura ambiente.

1. Use igual quantidade de tomates, abobrinha e berinjela. Lave e corte em fatias grossas.
2. Usando uma panela grande, faça camadas, começando com a berinjela, depois os tomates e, finalmente, a abobrinha. Repita até que a panela esteja cheia até a beirada. Adicione alguns dentes de alho e a salsa entre as camadas. Tempere com sal e pimenta.
3. Cubra e cozinhe em fogo muito baixo, até que os legumes fiquem tenros, aproximadamente de duas horas a duas horas e meia.
4. Deixe esfriar. Servir 20 minutos mais tarde. Use pratos de sopa, porque, neste estágio, a ratatouille é mais sopa do que cozido, com o líquido sendo na maior parte a água dos legumes. Corrija o tempero e acrescente um pouco de azeite extravirgem e muita salsa picada ou manjericão, ou ainda ambos.

1. Esquente 2 colheres (sopa) de azeite de oliva e adicione os restos dos legumes da ratatouille sem líquido (que pode ser esquentado depois e bebido morno).
2. Cozinhe em fogo de baixo a médio, até que os legumes engrossem.
3. Opcional: Adicione ½ xícara de queijo ralado, Comté, Parmesão ou qualquer outro a seu gosto.

A segunda versão usa as sobras como acompanhamento de carne ou galinha.

1. Compre ou faça massa de pizza (com água, farinha, fermento e sal).
2. Bata 1 ovo no resto dos legumes da ratatouille da segunda versão (sem o queijo opcional).
3. Abra como um recheio de pizza sobre a massa da pizza.
4. Adicione queijo parmesão ralado na hora e asse como pizza normal.

A terceira versão usa as sobras da segunda versão como cobertura de pizza. Serve como um bom almoço ou primeiro prato.

PRATO PRINCIPAL

O nome "prato principal", por si só, é um dos problemas da noção que os americanos têm de uma refeição. Um prato "principal" parece ser definido como a coisa que vamos comer em maior quantidade. Mas comer muito um só elemento de uma refeição pode surpreendentemente satisfazer menos do que comer porções iguais de muitas coisas; como resultado, a segunda maneira é "mais amiga do peso". O segredo é manter os olhos, a boca e o nariz – sua *mente* – entretidos. Uma progressão de estimulantes "alimentos amigos" vai recompensá-la com satisfação.

OMELETE DE FLOR ABOBRINHA

4 porções

Nunca falha. Durante o final da primavera – início do verão, minha lista de compras da feira da Union Square, em Manhattan, sempre inclui flores de abobrinha. Compro algumas dúzias e, invariavelmente, um estranho na fila pergunta o que faço com elas. Parece que poucas pessoas sabem, o que talvez explique por que estas flores de legumes são tão baratas. As italianas e as francesas conhecem muitos usos para elas. Levo-as para casa para usá-las nos omeletes do almoço, uma refeição simples e balanceada, mas muito boa.

INGREDIENTES

16 flores de abobrinha
10 ovos
1/4 de xícara de água
Sal e pimenta moída na hora
1 colher (sopa) de manteiga
1 xícara de queijo de cabra ou ricota fresca
Ervas frescas para guarnecer

1. Lave as flores de abobrinha e seque com cuidado.
2. Bata os ovos e a água juntos. Adicione as flores de abobrinha à mistura dos ovos. Tempere com sal.
3. Derreta a manteiga em frigideira não-aderente e, quando estiver bem quente, coloque a mistura de ovos e as flores de abobrinha. Depois de alguns minutos, quando os ovos começarem a cozinhar, adicione o queijo. Continue a cozinhar, mas não deixe a omelete secar. Pare de cozinhar quando ainda estiver meio mole. Guarneça com ervas frescas e sirva imediatamente.

ENDÍVIAS COM PRESUNTO SEM MOLHO BECHAMEL

4 porções

Esse era outro prato típico de inverno, no almoço aos sábados ou no jantar em qualquer dia da semana, porque mamãe sabia que iríamos ter a proteína dos legumes e a gordura, tudo em um só prato, que era fácil e não tão caro para fazer, como a maior parte dos outros pratos de peixe ou carne. E todos nós amávamos. Uma salada e uma fruta completam a refeição. O molho da salada é algo que minha mãe chamava bechamel do sul (comparado ao clássico molho bechamel, esta rápida versão feita com molho de tomate é mais leve e mais digestiva.)

INGREDIENTES

4 endívias
Sal
4 fatias de presunto com pouco sal
2 xícaras de molho de tomate
60g de queijo suíço cortado
60g de queijo parmesão
1 colher (sopa) de manteiga

1. Lave as endívias, corte a parte debaixo e cozinhe em água levemente salgada, até que fiquem tenras. Escorra.
2. Preaqueça o forno a 375°. Enrole uma fatia de presunto em cada endívia. Coloque em uma assadeira. Jogue o molho de tomate sobre as endívias. Polvilhe o queijo por cima e acrescente um pouco de manteiga.
3. Ponha o gratinado no forno e deixe por 20 minutos. Termine com 1 minuto na grelha para ficar moreno. Sirva quente, com pão e uma salada verde simples.

Na primavera, você pode preparar um prato similar usando aspargos da estação. Vai precisar de cinco aspargos por fatia de presunto (o bastante para se aproximar do volume da endívia).

COSTELETAS DE PORCO COM MAÇÃS

4 porções

Tínhamos muitas macieiras de várias qualidades em nosso pomar e o suprimento durava todo o inverno. Usávamos a maior parte para um aperitivo ou para uma sobremesa (como a torta do Dr. Milagre, sem massa), mas aqui está um prato principal que é um campeão. É incrivelmente fácil, mas completo em termos nutritivos. Eu adoro misturar o doce carboidrato com a gordura e a proteína em um delicioso desafio da ideologia da dieta atual.

INGREDIENTES

4 costeletas médias de porco (pode substituir por vitela, se preferir)
4 cravos
1/2 xícara de vinho branco seco ou vermute
4 folhas de aipo
2 folhas de louro
4 talos de aipo lavados e cortados finos
1 colher (sopa) de manteiga
2 maçãs sem o centro e fatiadas
1 colher (sopa) de açúcar mascavo
120g de queijo Suíço ou Jarlsberg ralado

1. Preaqueça o forno a 375°. Passe manteiga em uma assadeira e coloque as costeletas de porco.
2. Coloque um cravo em cada costeleta, adicione o vinho branco, as folhas de aipo, as folhas de louro e coloque a assadeira no forno preaquecido por 30 minutos.
3. Enquanto as costeletas estiverem assando, refogue em uma frigideira o aipo na manteiga por 5 minutos; então, adicione as fatias de maçã salpicando-as com açúcar mascavo. Continue a cozinhar em fogo bem baixo por 10 minutos ou até que as maçãs estejam tenras, mas não enrugadas.
4. Termine as costeletas de porco removendo as folhas de louro e de aipo e polvilhando o queijo em cima de cada costeleta; regue com o molho e depois asse por alguns minutos, para escurecer a parte de cima.
5. Sirva a mistura de aipo e maçã no prato como acompanhamento das costeletas. Use algumas colheres do molho da assadeira para dar mais sabor à mistura aipo-maçã.

Para completar esta refeição, você pode começar com um consommé e terminar com uma torta.

CHERNE COM AMÊNDOAS

4 porções

Quando eu estava crescendo, não gostava muito de peixe, mas adorava amêndoas. Mamãe sabia que ambos eram essenciais a uma boa nutrição. Então, inventou esta maneira de disfarçar o peixe.

1. Em uma frigideira não-aderente, toste as amêndoas em fogo médio.Reserve.
2. Esquente o azeite e a manteiga na frigideira. Coloque o peixe com a pele para cima. Tempere com sal e pimenta. Cozinhe 4 minutos de cada lado. Transfira o peixe para um prato quente e cubra com papel-alumínio sem apertar.
3. Adicione o suco de limão à frigideira, mexendo para misturar com o molho. Jogue sobre os filés, adicione a salsa picada e salpique com as amêndoas torradas. Sirva imediatamente.

INGREDIENTES

1/2 xícara de amêndoas tostadas cortadas
2 colheres (sopa) de azeite de oliva
2 colheres (sopa) de manteiga
Sal e pimenta moída na hora
Suco de 1 limão
1/2 xícara de salsa picada
4 filés de 100g de badejo (pargo ou bacalhau também servem) com pele

PEITO DE PATO À LA GASCONNE

4 porções

Raramente comíamos só peito de pato em casa, porque, como a maior parte das pessoas, comprávamos um pato inteiro e preparávamos "nossa versão familiar" de pato assado. Mas meu tio Charles tinha uma outra receita para seus hóspedes do spa. Ele usava a carne relativamente fina dos peitos (*magret*), evitando azeite ou manteiga na preparação e confiando na "vinha d'alhos" seca para um sabor extra. Dar o nome de Gasconne foi uma maneira sutil de enganar seus hóspedes. A maior parte deles se compunha de ricos parisienses que jamais tinham posto o pé na Gasconha, uma região no sudeste da França, conhecida por seus patos e gansos e, naturalmente, ótimos pratos de patos. Portanto, mesmo antes de dar a primeira mordida nesta iguaria relativamente leve, eles eram psicologicamente atraídos para as delícias desta especialidade "gasconne".

INGREDIENTES

1 pitada de sal
1 pitada de folhas secas de louro em migalhas
1 pitada de folhas secas de tomilho em migalhas
1 colher (chá) de salsa picada
2 dentes de alho descascados e fatiados
1/2 colher (chá) de chalota finamente fatiada
8 pimentas pretas bem esmagadas
4 peitos de pato

1. Numa grande assadeira, misture sal, folhas de louro, tomilho, salsa, alho, chalota e pimenta. Passe os *magrets* (peitos) na mistura e coloque-os na panela com o lado da pele para cima.
2. Cubra com plástico e refrigere os peitos por 24 horas, virando-os de vez em quando.
3. Retire os *magrets* da vinha d'alhos. Enxugue-os para tirar o excesso dos temperos; seque-os com toalha de papel (jogue fora a vinha d'alhos). Coloque os peitos lado a lado, com a parte da pele para baixo numa grelha, e coloque para assar alguns centímetros longe do calor. Asse por 2 minutos, vire-os e asse mais 3 a 4 minutos; dependendo do tamanho e da grossura dos *magrets*, o tempo de assar pode precisar ser aumentado. Os *magrets* devem ficar no ponto.
4. Transfira os peitos de pato para um prato de destrinchar e deixe-os descansar por 2 a 3 minutos. Corte em fatias enviesadas e sirva.

SALADA DE PATO COM LARANJA

4 porções

Use as sobras da receita do Pato à la Gasconne que tiverem sido guardadas na geladeira.

1. Descasque as laranjas. Tire a pele e o centro branco. Corte em fatia, remova a membrana que separa os gomos.
2. Faça o molho misturando a mostarda de Dijon com o vinagre de vinho tinto e o azeite de oliva.
3. Misture as folhas verdes, a chalota, as vagens e as fatias de laranja com o molho. Coloque em pratos individuais.
4. Corte os peitos do pato em fatias enviesadas de 1,5cm. Regue com azeite de oliva. Sirva com uma fatia de pão de azeitona.

INGREDIENTES

2 laranjas sem caroços
1 colher (chá) de mostarda de Dijon
3 colheres (sopa) de vinagre de vinho tinto
6 colheres (sopa) de azeite e mais 1 para regar
250 gramas de folhas verdes misturadas com rúcula ou alface roxa crespa
2 colheres (sopa) de chalotas picadas
250g de vagem aparadas e escaldadas
2 *magrets* (peitos) cozidos (enquanto prepara a salada, eles devem ficar em temperatura ambiente)

TAGLIATELLE COM LIMÃO

4 porções

Viver sem massa? Nem pensar! Não é uma coisa francesa por si só, pois batata seria a escolha mais óbvia. Mas, na Alsácia, massas são servidas acompanhando vários pratos, do peixe à caça, principalmente com molhos fortes, um pouco parecidos com os de Piedmont, região da Itália. Quando eu era criança, comíamos massa algumas vezes ao mês, mas tínhamos preferência pelas preparações mais leves, mais intensamente saborosas, como esta combinação de creme-limão que tia Caroline criou. Ela considerava este prato perfeito para o almoço acompanhado por uma salada e uma fruta. Sua filha Louise disse-me que esta receita ainda é muito popular entre as crianças. Preste atenção às porções.

INGREDIENTES

350g de tagliatelle
4 limões
1 colher (sopa) de azeite de oliva
150g de *crème fraîche*
150g de queijo parmesão
Sal e pimenta moída na hora

1. Cozinhe o tagliatelle em água fervendo com sal, até que fique *al dente*. Escorra.
2. Enquanto a massa estiver cozinhando, rale a casquinha, esprema e reserve o suco do limão.
3. Em uma panela, esquente o azeite, adicione a casquinha ralada e cozinhe em fogo baixo por 2 minutos. Junte o creme e deixe ferver; jogue o suco do limão reservado e deixe ferver novamente.
4. Quando o creme começar a ficar grosso, acrescente o parmesão, tempere a gosto, misture bem e cozinhe por mais um minuto. Junte a massa escorrida e mexa para misturar. Sirva imediatamente.

Massa é um bom ingrediente para você, mas não para ser comida como prato principal e em grande quantidade, como fazem na América. Os italianos servem como primeiro ou segundo prato antes do prato principal. Não pense que vai perder peso comendo uma grande tigela com molho de tomate sem graça – você nunca vai alcançar a satisfação. Adicione ricota fresca, alguns pedaços de atum ou vitela ou qualquer carne, e menos vai parecer mais. Os franceses amam massa, mas gostam com menos gordura. Entre as preparações mais comuns, estão a que leva *coulis* de tomate com cebola e tomilho, ou molho de manjericão com alho e algumas pinhas. Cada uma inclui 1 colher (sopa) de azeite de oliva por pessoa, e o prato é "umedecido" com 2 ou 3 colheres de sopa da água onde a massa foi cozida. Depois, um toque de parmesão ralado, bem pouco, como na Itália. A dose é de cerca de 100 gramas por pessoa, porém sempre seguida de peixe ou carne.

SOBREMESAS

Os franceses parecem ter uma noção mais extensa sobre sobremesa, maior do que a que os americanos têm. As sobremesas americanas têm a tendência de serem mais açucaradas e pesadas, freqüentemente derrotando as metas do equilíbrio e de comer com moderação. São, portanto, muito mais doces em média, o que é um assunto de expectativa condicionada. Na França, não servimos tais sobremesas depois de pratos pesados. São mais apropriadas quando o prato precedente for mais leve. Batendo na mesma tecla, não ter espaço para a sobremesa significa que as porções anteriores foram muito grandes ou por demais substanciais. De qualquer maneira, forçar uma sobremesa com o estômago cheio nunca é boa idéia. Faça o equilíbrio da sobremesa com o que vier antes. E passe a gostar do que não é muito doce, como, por exemplo, queijo e fruta. Os doces elaborados – incluindo meu amado mil-folhas – devem ser comidos de vez em quando, mais, talvez, em algum chá ocasional do que no final de uma refeição.

Quando se trata de sobremesa, permitam-me oferecer duas táticas para serem usadas em restaurantes. A primeira, você provavelmente já conhece: partilhar pedindo uma para duas pessoas. Mas, se todos estão pedindo a sua e você não deseja incomodar, tente isso: coma os primeiros bocados muito devagar, até que todos os outros tenham quase terminado. Então, conte uma história ou converse com quem está ao seu lado. Enquanto estiver falando, os outros vão estar comendo; então, discretamente, cruze os talheres na posição de "terminado"; quando o garçom vier tirar seu prato, todos vão estar prestando atenção na sua história e nem vão notar sua moderação sutil. Fiz isso diversas vezes e sempre funcionou.

PÊRA EM CALDA

4 porções

INGREDIENTES

2 copos de Muscat de Venise
½ xícara de açúcar
2 colheres (sopa) de suco de limão
4 peras descascadas, sem o centro e cortadas ao meio
4 bolas de sorvete de creme

1. Em uma panela grande, coloque o vinho e o açúcar, deixando ferver. Diminua o fogo e cozinhe mais 5 minutos.
2. Adicione o suco de limão e as peras. Cozinhe mais 10 minutos em fogo médio. Deixe esfriar e coloque na geladeira.
3. Antes de servir, tire da geladeira e deixe em temperatura ambiente. Acrescente uma bola de sorvete de creme para cada pessoa.

Para um luxo extra, sirva cada pêra em um leito de chocolate amargo derretido.

MAÇÃ ASSADA

4 porções

Nos velhos bons tempos, outono significava maçãs e nozes acumulando-se no nosso pomar. Felizmente, minha mãe conhecia inúmeras maneiras de usá-las. Um dos verdadeiros prazeres da estação era morder uma maçã fresca antes que ela tivesse oportunidade de desidratar ou de ficar farinhenta. Felizmente, nos Estados Unidos, melhorou muito a distribuição de maçãs na temporada e boas maçãs vendem tão rapidamente que até o melhor supermercado pode ser uma boa fonte. A mastigação de uma boa maçã ao final de uma refeição fornece o contraponto certo para as texturas precedentes. (Lembre-se de que precisamos satisfazer não apenas ao estômago, mas à boca também. Às vezes, o ato de comer compulsivamente é mais uma necessidade nervosa de ingerir e de mastigar do que realmente fome.) E elas entram fácil na contagem calórica. Quando éramos crianças, sempre preferíamos as maçãs cozidas às cruas, especialmente nos dias em que minha mãe estava servindo sopa ou uma entrada menos popular entre as crianças; ela se certificava de nos motivar com essa sobremesa, que parecia muito mais suntuosa do que era. Ela também fazia um delicioso molho de maçã que nos era servido como um pequeno lanche quando voltávamos da escola.

INGREDIENTES

1/3 de xícara de nozes picadas
4 maçãs
4 colheres (chá) de manteiga
4 colheres (chá) de açúcar misturado com ½ colher (chá) de canela
2 colheres (sopa) de água

1. Coloque as nozes em um tabuleiro e toste no forno a 250° durante cerca de 5 minutos, até que elas fiquem perfumadas. Deixe de lado.
2. Lave e tire o cerne das maçãs. Coloque em um tabuleiro. Misture a manteiga, o açúcar e a canela com as nozes tostadas.
3. Encha a cavidade da maçã com essa mistura, dividindo em partes iguais entre as quatro maçãs. Coloque água no tabuleiro.
4. Asse as maçãs durante 30 minutos no forno a 375°. Sirva quente. Você pode tornar a sobremesa mais festiva espalhando uma colher (chá) de creme sobre cada maçã pouco antes de servir, enfeitando-a com uma folha de hortelã para dar um colorido ou colocando ao lado uma flor da sua escolha no prato.

OVOS NEVADOS COM CHOCOLATE EM PÓ

4 ou 6 porções

Os franceses raramente comem ovo no café-da-manhã e nem tomam leite, mas consomem muito dessas duas coisas em molhos e sobremesas. (É claro que comemos ovos em omeletes, mas esses são servidos no almoço ou no jantar). Em uma clássica sobremesa, ovos nevados (*oeufs à la neige*), conhecida nos restaurantes europeus pelo nome fantasia de *île flottante* (ilha flutuante), comemos muitos ovos, leite, proteína e gordura com carboidratos limitados. E em matéria de sobremesas nutritivas, esta não engorda tanto porque a maior parte do componente do ovo é a clara. Você vai achar atraente, gostosa e fácil. Minha mãe, muitas vezes, preparava à noite e servia no almoço do dia seguinte. Já que era uma das minhas sobremesas preferidas, quando via prepará-la, sabia que no dia seguinte o menu incluiria algo que, apesar de saudável, não era do meu agrado. "Coma tudo e vai ganhar sobremesa", dizia ela. Vários dias durante o mês, eu era vergonhosamente comprada pelos ovos nevados.

INGREDIENTES

2 ½ xícaras de leite integral
2/3 da xícara mais 1 colher (sopa) de açúcar
4 ovos
1 colher (chá) de essência pura de baunilha
1 pitada de sal
Chocolate em pó para salpicar

1. Ferva bem o leite em uma panela grande e acrescente 1/3 de xícara de açúcar e a baunilha. Cubra e tire do fogo.
2. Separe os ovos e reserve as gemas em uma tigela.
3. Em outra tigela, bata as claras com sal até ficarem bem espumantes e, então, gradualmente acrescente uma colher de açúcar sem parar de bater. Bata até ficarem encorpadas. (Uma batedeira elétrica aqui é útil.)
4. Coloque a panela com leite de volta no fogo e deixe ferver, em fogo baixo.
5. Com uma concha de sopa, tire um montículo de clara batida e coloque no leite. Cozinhe delicadamente durante 2 minutos e vire delicadamente para cozinhar o outro lado por 2 minutos. Remova e coloque sobre uma toalha seca. Deixe esfriar, depois cubra e coloque na geladeira em um prato até que esteja pronto para servir.
6. Na tigela contendo as gemas, bata gradualmente o restante da xícara de açúcar e continue batendo por 2 ou 3 minutos até a mistura ficar cor de amarelo-pálido e formar uma fita. Acrescente gradualmente o leite quente em fios bem finos para, lentamente, irem esquentando as gemas de forma a impedir que elas se embolem. Esfrie a iguaria em uma tigela de servir.

7. Quando pronto para servir, coloque as claras dos ovos em cima do doce. Sirva uma tigela de chocolate em pó para cada convidado, para que ele salpique sobre as claras – para nós, crianças, era permitida a dose dos nossos sonhos!

Quando esta sobremesa era servida aos nossos convidados nos almoços formais dos domingos, minha mãe acrescentava 1 colher (sopa) de rum à iguaria ou respingava caramelo nas claras, ou ralava em cima um pouco de chocolate puro. (Eu preferia o último, pois achava o caramelo muito doce, como ainda acho.)

O IOGURTE: NEM TODOS SÃO FEITOS DA MESMA MANEIRA

O iogurte continua sendo a minha arma secreta. Desde o momento em que o Dr. Milagre receitou dois ao dia, tornou-se um lanche e uma sobremesa fáceis. Mas a adoração total não floresceu até eu visitar Creta.

Nós não comíamos muito iogurte em casa depois que cresci. Preferíamos os *petits suisses*, um queijo branco mole no qual salpicávamos chocolate em pó. Também não tomávamos leite cru, exceto durante os verões, na casa da minha avó, no campo. Ela criava vacas e todas as noites, antes de irmos para cama, tínhamos que tomar *un bol* (uma tigela grande do café-da-manhã) de leite fresco, ainda morno, saído da fonte. Em casa, também tínhamos nosso "laticínio" matinal via pudins, tortas, manjares, creme inglês e todos aqueles pratos quentes saborosos, geralmente servidos no inverno, usando o leite como ingrediente para cozinhar.

Efetivamente, o iogurte é melhor do que qualquer um desses produtos de laticínio. Os médicos, normalmente, recomendam aos pacientes que tomam antibióticos – destruidores da flora intestinal – que comam um iogurte em cada refeição. Um grama do iogurte básico tem algo como dez milhões de bactérias vivas *Lactobacillus bulgaricus* e *Streptococcus thermophilus*, vitais para sua boa digestão.

Quanto a mim, levei algum tempo para me acostumar com o iogurte. As frutas e os recheios ainda não existiam naqueles dias. De acordo com o meu gosto por doces, o clássico *yaourt nature* não foi logo aprovado como substituto palatável para a sobremesa. Então, o Dr. Milagre disse que eu podia acrescentar ½ colher (chá) de mel ou salpicar germe de trigo. Na primavera, uma compota de ruibarbo moderadamente adoçada e polvilhada com canela funcionou, bem como uma mistura de suculentas framboesas ou amoras. Havia dias em que eu não tinha nada na minha dispensa para adicionar (seguindo seu conselho de não estocar agressores) e foi aí que eu comecei a me render aos prazeres do iogurte puro. Nada consegue ter o gosto dele, com aquela combinação de azedo e cremoso.

Quando ainda era estudante, durante o verão, viajei para a Grécia com uma diária de 5 dólares. Como eu havia estudado grego moderno, gostava de me hospedar em casas de famílias e praticar falando com os nativos. O mobiliário era espartano, raramente não mais do que um chuveiro e uma cama (e seguidamente um colchão colocado no terraço do telhado, pois era alta estação e muitas famílias hospedavam vários estudantes estrangeiros). No entanto, como eu falava a língua, as famílias, espantadas, me agradavam com uma cama. Às vezes, nem queriam me cobrar, mas sempre me convidavam para sua cozinha de manhã e davam-me um copo de água e meia xícara daquele "café grego" muito forte (chamado de turco em vários outros lugares)... e iogurte.

Num certo verão, em Creta, fiquei com a simpática e miúda mulher de um capitão-de-mar-e-guerra; ela me disse que, quando ele estava fora, praticamente vivia de iogurte e frutas, exceto por um pequeno pedaço de peixe e algumas verduras no jantar. Evitando as tabernas gordurosas e baratas, comecei a ir a umas minilojas de gêneros alimentícios que ficavam perto da praia e comprava meu almoço – iogurte e pêssego. Os pêssegos, em plena estação, estavam deliciosos: adocicados e com um suco quase licoroso. Depois de dez dias seguindo o programa dela – caminhando e nadando todos os dias –, deixei Creta dançando dentro das roupas (mais tarde, descobri que havia emagrecido quase dois quilos e, desde então, raramente me senti tão bem).

Claro que nada se iguala a um iogurte de Creta, feito com leite de cabra. Aprendi que toda a cadeia de alimentação da ilha é rica em ácido alfalinolênico, presente em todas as plantas silvestres comestíveis. As mulheres de Creta ainda colhem várias ervas e plantas e, como a criação se alimenta com elas, galinhas, ovos e leite contêm duas ou três vezes mais desse benéfico nutriente.

Até mesmo alguma loja francesa vendedora de iogurte oferece os ingredientes indesejáveis que você encontra na versão americana – conservantes artificiais, colorantes, sabores, açúcar e adoçantes. Então, em Creta, resolvi aprender com a mulher do capitão a fazer o meu próprio iogurte.

Isso requer um "básico" – ou seja, uma combinação comercialmente disponível de cultura de bactéria viva ou simplesmente uma colher cheia de iogurte de uma boa loja, contanto que contenha culturas ativas – e uma máquina de iogurte, um dos melhores pequenos investimentos que já fiz.

Aqui vai a receita: rápida e fácil... A máquina faz o trabalho.

IOGURTE FEITO EM CASA COM UMA IOGURTEIRA

INGREDIENTES

1 litro de leite integral ou semidesnatado
1 colher (sopa) de iogurte natural
Iogurteira com termômetro de cozinhar (eu utilizo a marca Donvier, com 8 jarras)

1. Em uma panela, esquente o leite em fogo baixo, até as bolhas aparecerem ao redor e a fumaça vir para a superfície. Retire a panela do fogo, insira um termômetro próprio. Quando a temperatura atingir de 110 a 115°, graus, acrescente o "básico" a uma das jarras. Coloque um pouco desse leite aquecido e mexa até ele ficar bem misturado. Derrame a mistura de volta na panela, aos pouquinhos, mexendo bem.
2. Encha assim as 8 jarras, cubra com tampa segura e coloque as jarras em uma "máquina" (que, na verdade, serve para controlar a temperatura morna) e siga as instruções. Deve levar de 6 a 10 horas (mais fácil fazer de um dia para o outro), dependendo da acidez e da firmeza desejadas.
3. Depois disso, coloque as jarras na geladeira algumas horas antes de servir. O iogurte pode se conservar até duas semanas na geladeira.

Se não quiser investir em uma iogurteira, aqui vai uma receita centenária e infalível da qual fui recentemente relembrada por um motorista de táxi da ilha grega de Mykonos. Os motoristas gregos são muito especiais: extrovertidos, educados, poliglotas, cultos, opinativos e esclarecidos. Não me lembro qual foi a pergunta que fizemos, mas lançou-o em um discurso sobre vida, jardinagem, importação de joaninhas da Holanda, família, hotéis, os méritos comparativos dos restaurantes da ilha e também iogurte.

IOGURTE FEITO EM CASA SEM A IOGURTEIRA

INGREDIENTES

1 litro de leite integral ou semidesnatado

1 a 2 colheres (sopa) cheias de iogurte para começar ou 1 a 2 colheres (sopa) de lactobacilos (que se encontram em qualquer loja de alimentos naturais)

1. Esquente o leite em uma panela com fogo baixo, até as bolhas aparecerem ao redor e o calor faça o leite subir.
2. Derrame o leite quente em uma tigela grande, até a temperatura atingir 110° ou 115° em um termômetro de cozinha. Caso você não tenha um, faça o que os locais fazem: a temperatura está correta quando você pode manter seu dedo indicador no leite quente durante 20 segundos.
3. Coloque os lactobacilos em uma pequena tigela, acrescente um pouco do leite aquecido e mexa até ficar bem misturado. Devolva a mistura para a tigela grande, um terço de cada vez, certificando-se de mexer e misturar bem a cada acréscimo. Termine com uma mexida final, certificando-se de que tudo está bem misturado. Cubra com uma toalha grossa e mantenha em lugar quente de 6 a 8 horas, ou uma noite inteira. (O forno a gás serve; colocar a panela de água quente no forno para aumentar a temperatura ajuda, se sua casa não for bastante aquecida.)
4. Quando estiver pronto, cubra a tigela com PVC e coloque na geladeira por 8 horas antes de servir. Se desejar um iogurte mais grosso, esvazie o iogurte gelado em um saco de musselina ou em um tecido grosseiro de algodão, suspenso sobre a tigela, e deixe escorrer.

8

RECURSOS LÍQUIDOS

EAU DE VIE (AGUARDENTE)

Dificilmente alguém que tenha estudado em escolas americanas não ouviu dizer que a água é a essência da vida. Recentemente, gastamos perto de 1 bilhão de dólares para saber se havia ou não água em Marte. Por quê? Porque sem água, a vida do modo como nós conhecemos nunca poderia ter existido lá. E não existiríamos muito mais tempo aqui na Terra se deixássemos de bebê-la. A água constitui 70% do peso do nosso corpo, 80% do nosso sangue, 70% dos nossos músculos e cerca de 85% de nossa massa cinzenta, o que talvez explique porque as pessoas desidratadas ficam delirantes bem antes de acabarem as outras funções do seu corpo. Diante desses fatos, que são bem mais certos do que a maioria das alegações "científicas" feitas em livros de dietas, é um evento misterioso as americanas não beberem mais água, principalmente quando qualquer francesa sabe que é uma maneira poderosa de controlar o peso, virtualmente, sem qualquer sacrifício. Na verdade, se você simplesmente beber quatro ou cinco copos a mais durante o dia, será extremamente difícil, com o correr do tempo, não perder peso.

Como em todos os casos, o prazer é a chave para entender a diferença franco-americana. A maioria das mulheres americanas satisfaz sua sede com bebidas sem álcool, café, sucos e às vezes chá. É bem verdade que a maioria não deixa de ser água, mas algumas, especialmente as que contêm cafeína, também são diuréticas, fazendo com que um pouco de água seja perdida. Simplesmente não existe uma maneira de beber água suficiente a não ser que você a beba diretamente, mas parece que a maior parte das americanas não encontra prazer na água pura. Preferem algo com algum sabor adicionado – mesmo que seja o café esquecido o dia inteiro na cafeteira ou os refrigerantes diet. Mesmo assim, a maior parte das mulheres sabe que deve beber mais água; então, tipicamente acomodam-se bebendo uns poucos copos de água em acréscimo às suas outras bebidas sem álcool. Mas só estão se enganando, e não da maneira certa. Há também aquelas que carregam para todo lado sua garrafinha de Evian, mas realmente tomam só alguns goles; nem chegam perto daquilo que seus corpos precisam para ficar hidratados e eliminar as toxinas e as perdas do metabolismo. Se você quiser ver o que a água faz por sua pele, tente adicionar um pouco em uma esponja seca.

A maioria das pessoas não leva em conta quanta água perdemos passivamente, especialmente em climas muito quentes ou frios. A transpiração é um débito óbvio, mas, no ar frio e seco, perdemos muita água através da pele e da respiração. O corpo não é um saco à prova d'água; a pele absorve, mas cede muita água também. Dito isso, saiba que perdemos uma média de dez a doze xícaras de água por dia (mesmo enquanto dormimos), através da respiração, da transpiração e de perdas do corpo. Como vocês podem ver, mesmo os famosos oito copos por dia, tão recomendados, podem resultar em um déficit, dependendo do tamanho do copo. O segredo para a boa saúde e para compensar o poder da perda de peso da água não é radical: basta consumir um pouco mais do que você perde.

No meu escritório em Nova York, temos um bebedouro com um grande garrafão de água que um empregado mantém cheio. Uma vez, ele confessou que sua vida é bem mais fácil quando não estou por perto. Como quase não lhe dou trabalho, fiquei espantada. Ele me explicou, com um sorriso maroto: "São os garrafões de água. Quando a senhora está viajando, duram uma semana, mas, quando a senhora está aqui, tenho que trocar dia sim, dia não." Com isso, ficou claro para mim que o meu pessoal estava se ressecando por vontade própria. Durante todo o dia, o grupo mais capaz da nossa equipe (mulheres na maioria, mas aparentemente também temos alguns "camelos" do sexo masculino) não tinha problemas em correr até a "deli" mais próxima para comprar café ou refrigerantes. Mas, raramente, vejo algum deles perto do bebedouro, o proverbial ponto de encontro americano para bater papo.

O contraste com a nossa matriz em Paris não podia ser mais espantoso. Todos os dias, uma garrafa de um litro de água é distribuída em cada sala, e, se não for suficiente (e não é), tem uma sala sempre cheia delas, aonde qualquer um pode ir e servir-se. Quando temos reuniões, garrafas são espalhadas por toda a sala de conferência. Não na América. Mesmo a maioria das garrafas pequenas sobre a mesa permanece intacta depois de algumas horas, mas o café acaba e as latas de Diet Coke desaparecem.

E isso não é só um caso de escritório. Já me hospedei em inúmeras casas nos Estados Unidos e reparei que uma única garrafa de água na geladeira pode ficar no mesmo nível durante dias, enquanto os refrigerantes, as cervejas e toda a espécie de bebidas açucaradas são consumidas em galões. Nem é preciso dizer que as crianças que não vêem seus pais bebendo água provavelmente não terão tendência a desenvolver esse hábito sozinhas.

Quando estou na França e visito parentes jovens, ainda vejo coisas que reconheço da minha juventude. Todo mundo começa o dia com um copo de água. Em cada refeição, tem sempre uma garrafa grande de água mineral sobre a mesa. As pessoas servem-se durante o dia – e não é mantida na geladeira. (Às vezes, a aversão à água é, na verdade, uma repulsa compreensível de sofrer o choque de ingerir algo frio. Você poderá ver que a água em temperatura ambiente é muito mais agradável à sua garganta e aos seus dentes, sem falar no estômago.)

Os franceses não bebem água da torneira; a nossa geralmente não tem um gosto bastante bom para beber. A aversão que os americanos sentem por água está arraigada à relutância em pagar por algo que deveria ser de graça. A grande variedade de águas engarrafadas pode parecer fraca para alguns. Mesmo nas cidades americanas existem dúzias nas prateleiras. Pode parecer mais uma coisa para mostrar e obviamente mais cara do que a que sai da torneira. Na verdade, você pode estar perfeitamente feliz tomando o que sai de sua torneira, mas, se não estiver bebendo a quantidade que deve, precisa perguntar por quê.

Em nossa casa, as águas sem gás (*eaux plates*) que tínhamos para escolher eram a Vittel e a Volvic e a única gasosa era, e continua sendo, a Badoit. Ficamos enfeitiçados há muito tempo por um jingle que dizia: "*Et badadit et badadoit, la meilleure eau c'est la Badoit*".* Tentamos outras, mas o sabor antigo adquirido ganhava sempre.

Os franceses são os segundos maiores bebedores de água gasosa no mundo (depois dos italianos). Preferimos a *água sem gás*, mas, mesmo sem efervescência, as escolhas são inúmeras. No Colette, um restaurante em Paris (na verdade, uma loja com um bar e um restaurante no subsolo), você pode provar de oitenta a cem tipos de água do mundo todo. Beber água tornou-se uma mania tão grande que existe agora uma palavra relativa aos conhecedores – aquamania e a água tem seus *crus* (produção), sabores e vocabulário; uma variedade é diferente da outra, de acordo com os seus níveis de cálcio e magnésio, entre outros minerais característicos.

Caso estejam surpresas, as águas minerais americanas são consideradas suaves. Será que é por isso que uma média de dois terços da população é cronicamente desidratada? Talvez, mas, em parte, explica por que se importa tanta água não só da França e da Itália, mas também de diversos países. Acho engraçado quando nos restaurantes americanos me perguntam sempre se quero água de Fiji – uma variedade "artesiana".

Pode ser que essa suscetibilidade sobre a água simplesmente vá contra o que os americanos gostam. Todavia, é hora de enfrentarmos a deficiência mais difundida em hábitos de consumo. E o controle de peso é um bom motivo, se não for o mais urgente.

Em primeiro lugar, temos que entender que a sensação de sede freqüentemente pode ser confundida com fome; muitas vezes, quando sentimos *un petit creux* (um pequeno vazio) ou *une petite faim* (um pouco de fome), temos, na verdade, *une petite soif* (um pouco de sede). Então, confundimos um pouco de sede com um pouco de fome, o que não é de surpreender, se estivermos bebendo muito pouco e somos dependentes da

---

**Nota da Tradutora:"Badadi e badadá, a melhor é a Badoit" (que se pronuncia Baduá).*

água contida em nossa comida. Pela mesma razão, a água é um potente *coupe faim* (corta fome). Enchendo regularmente seu estômago com ela, você vai se sentir satisfeito e aquela sensação de nervosismo.

Tenho minhas próprias teorias sobre beber o bastante. Carrego na bolsa a minha garrafa, porém é mais para *en-cas*, não para meu suprimento diário. Você tem que beber água o dia inteiro, para ter o máximo de benefícios. Eu bebo um copo quando acordo, um antes de deitar e uma porção no meio. Sempre tomo um, uns 30 minutos antes de cada refeição (não preciso esforçar-me para lembrar, porque tornou-se automático). Evito beber água junto com as refeições: isso torna a digestão mais lenta. (No entanto, recomendo água com as refeições durante suas fases de transformação e de estabilização; o que se perde em velocidade digestiva é compensado pelo volume de calorias livres). Por outro lado, água com gás é uma questão de preferência, é claro, dependendo do estado do seu aparelho digestivo, que nem sempre pode estar disposto a receber um gás adicional. Eu, pessoalmente, só faço isso ocasionalmente; recebo a minha parte nas bolhas do champanhe, que tem suas próprias compensações. Mas, no verão, acho maravilhosamente refrescante um copo de água com gás e uma pitada de suco de limão fresco. E, é claro, adoro um *citron pressé* (limão espremido na hora) no meu café predileto, no bulevar St. Germain.

A coisa mais maravilhosa sobre a água, além de sua falta total de calorias, é que, para todas as finalidades práticas, você nunca bebe demais. É essencial para todas as funções do corpo e até o fato de se livrar dela é bom para nós, expelindo o que nos contamina e impedindo depósitos minerais. (Disseram-me que, se alguém já teve pedra no rim, não deve nunca restringir o consumo de água.) A água também ajuda a manter o equilíbrio eletrólito nos nossos corpos e pode aliviar tudo, desde câimbras musculares (já ouviu falar nisso?) até dor de cabeça, fraqueza e cansaço. E não vamos esquecer *les coups de vieux*. A água é o meu lubrificante por excelência, restaurando meu corpo e minha alma. Beber água faz mais por sua complexão do que todas as moléculas rejuvenescedoras que puder colocar em uma jarra. Se há uma fonte da juventude, está fluindo com H_2O puro. Portanto, faça amizade com a água.

Por meio de uma alimentação saudável, você pode receber 40% da água que precisa da comida, mas só se comer uma boa variedade de legumes e frutas. (Não há muita água em um bom filé.) O resto é com você; então vamos em frente. Experimente várias águas minerais para ver se alguma agrada o seu paladar. (Lembre-se de Tim Robbins no filme *O Jogador*, encomendando uma marca diferente em cada cena). Se a preferida for a da torneira, invista em um purificador ou filtro. (Lembre-se: os franceses consideram a água da sua torneira não-potável e até mesmo o melhor reservatório municipal poderia precisar de uma ajuda no setor paladar.) Finalmente, sempre que puder, aumente os líquidos que não esgotem a água do corpo. Eu prefiro as sopas, chás de ervas (pessoalmente, não ligo muito para a variedade dos verdes, apesar de suas milagrosas propriedades), e até leite e sucos de frutas frescas diluídos com moderação.

Na França, o café geralmente é reservado ao horário da manhã e para depois das refeições. Nós não bebemos durante o dia inteiro, como fazem os americanos; isso é um hábito terrível. Se você não tomar água antes da sua primeira xícara, vai começar o dia no vermelho (pois a cafeína drena suas reservas de água, que já foram diminuídas durante o sono). Beber chá não é muito importante para os franceses (talvez isso tenha a ver com a relação com os ingleses através dos séculos). Quando vejo cada vez mais salões de chá (chá preto), temo que seu principal trabalho seja o de atrair turistas procurando por um lugar para comer doces! Tisanas (chá de ervas fervidas de uma vasta variedade de plantas – tudo, menos a folha do chá) são o que mais apreciamos em casa e nos restaurantes. Com pouca ou nenhuma cafeína, são quase tão boas quanto a água pura; e há muito tempo fazem parte do nosso repertório gastronômico, geralmente ingeridas depois do jantar ou antes de ir dormir.

Em minha casa, nós todos éramos viciados em chás de ervas. Talvez fosse um truque da minha mãe, para ter certeza de que havíamos bebido água antes de ir para a cama, mas também me lembro disso como um prazer sensorial. Logo depois do jantar, durante a semana e depois nos fins de semana, ferver e compartilhar o bule perfumado eram um ritual da família, a última desculpa do dia para nos reunirmos. Eu adorava escolher a tisana. Sempre havia de seis a dez jarras cheias de ervas secas que tínhamos colhido na floresta atrás da casa da vovó, na Alsácia, ou então trazidas das nossas férias de verão na Provence. Com minha avó e minhas tias, aprendi a propriedade dos remédios caseiros: *verveine* (verbena, com seu sabor de limão-cítrico), *tilleul* (tília – a árvore do mesmo nome e notada por seu ar lenhoso), para qualquer hora, mas particularmente depois de uma refeição: *camomille* (camomila – um aroma floral com gosto de maçã) para dormir; *menthe* – menta, que no Marrocos é servida o tempo inteiro (provavelmente vindo de um hábito colonial), ajuda a digestão; e por aí afora. Às vezes, misturávamos nossas ervas aromáticas e amarrávamos em sachês ao lado dos saquinhos descorados de chá dos supermercados, que existem hoje e que parecem pateticamente estéreis e inertes.

Enquanto tomávamos os últimos goles da bebida da noite, geralmente falávamos sobre os nossos planos para o dia seguinte ou alguma coisa interessante que alguém tinha lido ou ouvido; era um ritual social de uns quinze minutos durante a semana, mas, nos fins de semana e, invariavelmente, quando tínhamos convidados, podiam durar algumas horas. Nada de comer. Só beber. Lembro-me especialmente de quando era estudante em Paris, vindo para casa uma vez por mês; minha mãe e eu éramos as últimas, conversando até as duas ou três da manhã, acompanhadas de várias xícaras de tisanas... E depois dormindo como anjos.

Vivre de pain, d'amour et d'eau fraîche, diz o ditado francês.

(Viver de pão, de amor e de água fresca.) Nada mais básico do que isso.

TOMA TUA SOPA

Como já disse, deve-se tomar água lentamente durante todo o dia. As sopas são uma boa maneira de fazê-la penetrar nos nossos corpos e são também extremamente satisfatórias em relação às suas calorias. Nós, franceses, somos provavelmente os maiores consumidores de sopa do mundo. Quando eu estava crescendo, era quase sempre o prato da noite. Já que o prato principal era sempre no almoço, o jantar limitava-se a *une assiette de soupe* (um prato de sopa) e um pedaço de queijo, ou um ovo cozido ou uma pequena salada verde e depois uma fruta. As sopas eram um assunto sério. Eram todas feitas em casa em *le plus grand pot* (na panela maior), o que podia ser uma boa ou má notícia, dependendo da sopa, já que os "aromas" encheriam a casa o dia todo.

Uma das minhas favoritas era a de galinha, à qual acrescentávamos massa de letras. Yvette, nossa babá, não gostava dos jantares intermináveis, pois ficávamos entretidos, formando palavras no nosso prato de sopa. Ela tentava apressar-nos: *"mange ta soupe"* (toma tua sopa). Na verdade, um bom conselho. *Vermicelle* (Aletria) era outra favorita, bem como as sopas de legumes, que, é claro, variavam segundo a estação. Sopa era um prato maravilhoso, principalmente no inverno, quando servia para manter-nos aquecidos. Havia outras também, aquelas que as crianças de modo geral não gostam; e Yvette tinha que inventar truques para fazer-nos apreciá-las. A sopa de cenoura não era ruim, mas as sopas de lentilhas, espinafre, alho-poró ou de repolho – cujos cheiros estranhos invadiam a cozinha (onde fazíamos todas as refeições, exceto aos domingos) – enjoavam-nos. Tomar a sopa depois de sentir seu cheiro durante todo o dia era uma provação para nós, crianças, embora não o fosse para os adultos. Yvette contava histórias complicadas para nos distrair e, no momento em que estava chegando na parte principal, dizia *"mange ta soupe"* (toma tua sopa), forçando mais algumas colheradas antes de prosseguir. A pior de todas era decididamente a sopa de repolho, que nós chamávamos de *soupe des paysans* (sopa dos camponeses) – a promessa de uma recompensa depois era efetivamente a única maneira de fazer com que esvaziássemos nossos pratos. Era difícil ensinar-nos (pobre Yvette, seu namorado ficava esperando; mas ela nunca sabia a que horas ia poder sair de casa). Porém, quando éramos adolescentes, tornamo-nos cidadãos franceses de verdade, tomando todas essas sopas com prazer, mesmo as malcheirosas. É mais fácil aprender, desde criança, a criar um lugar certo para a sopa na sua dieta, mas, se puder fazê-lo agora, será beneficiada por um segredo básico da mulher francesa. Se eu tiver que escolher a sopa que mais gostava na minha infância, seria a sopa de legumes que a minha mãe fazia umas duas vezes por mês para o almoço no inverno. Vinha acompanhada de batata ou de panquecas de maçã.

SOPA BÁSICA DE LEGUMES

8 porções

Minha mãe cozinhava os legumes na água. Embora as batatas estivessem sempre incluídas, a escolha dos outros legumes era uma questão de disponibilidade.

INGREDIENTES

2 batatas (de 25g cada)
2 alhos-porós
2 cenouras
2 aipos com folhas
2 cebolas de tamanho médio
1 repolho pequeno
Pimenta fresca moída
2 colheres (chá) de sal
½ colher (sopa) de tomilho seco
2 folhas de louro
1 ramo de salsa fresca
10 xícaras de água

1. Descasque os legumes. Corte as batatas e os repolhos em cubos pequenos; lave cuidadosamente os alhos-porós e corte-os enviesados. Fatie as cenouras e o aipo também e corte em quatro as cebolas. Você deve ter umas 10 xícaras de legumes preparados. Use a mesma quantidade de água.
2. Coloque todos os legumes em uma panela grande. Tempere com pimenta fresca moída, acrescente sal, tomilho, folhas de louro e salsa e misture com os legumes. Acrescente a água. Cubra e deixe ferver lentamente. Reduza o calor e deixe cozinhar durante 1 hora e meia.
3. Remova e descarte as folhas de louro. Escorra os legumes, reservando o líquido cozido. Coloque os legumes no liquidificador e, se for necessário, use o caldo para afinar. Reaqueça a sopa até ferver. Prove, corrija os temperos e sirva.

No fim do outono, minha mãe acrescentava os últimos tomates do jardim e, no auge do inverno, meio talo de aipo, mas você pode acrescentar tudo o que quiser. A mesma coisa quanto às ervas – use a sua imaginação.

SOPA DE CENOURA RÁPIDA E FÁCIL

4 porções

INGREDIENTES

5 xícaras de cenouras descascadas ou fatiadas
1 pitada de açúcar
Sal
Pimenta moída
1 pitada de manteiga
Endro fresco ou coriandro

1. Coloque as cenouras em uma panela com igual quantidade de água fervendo. Cozinhe *al dente*, durante 15 minutos.
2. Faça um purê no liquidificador. Tempere com uma pitada de açúcar, sal e pimenta. Pouco antes de servir, acrescente um pouco de manteiga e um pouco de endro ou coriandro.

CREME DE CENOURA

8 porções

INGREDIENTES

2 folhas de louro
5 xícaras de cenouras descascadas e fatiadas
4 cebolas de tamanho médio descascadas e fatiadas
2 batatas descascadas e fatiadas
1 colher (sopa) de açúcar
2 colheres (sopa) de creme de leite sem soro
Sal e pimenta moída na hora
Noz-moscada

1. Ferva 10 xícaras de água. Acrescente as folhas de louro e todos os legumes. Ferva durante 45 minutos.
2. Retire as folhas de louro e faça um purê das cenouras no liquidificador. Acrescente o açúcar, o creme e esquente em fogo baixo até borbulhar. Tempere a gosto com sal e pimenta. Rale um pouco de noz-moscada como enfeite.

SOPA EXÓTICA

4 porções

INGREDIENTES

2 ½ xícaras de leite
1 xícara de amêndoas bem picadas
1/4 colher (chá) de extrato amargo de amêndoas
500 gramas de vagem (da bem fina).
1 colher (sopa) de vinagre de vinho tinto
Metade de uma manga madura
1 ½ colher (sopa) de suco de limão galego
Noz-moscada recém-ralada
Sal e pimenta moída na hora

1. Junte 1 ½ xícara de leite com amêndoas moídas e deixe de lado, em infusão, durante 30 minutos. Misture, passe em uma peneira e acrescente o extrato de amêndoas.
2. Limpe as vagens e coloque-as em uma panela com água fervendo ligeiramente salgada. Cozinhe por 8 minutos. Escorra. Lave sob água fria e passe na máquina para fazer um purê junto com o leite restante. Acrescente vinagre e corrija o tempero. Coloque de lado.
3. Descasque e corte a manga e faça um purê no liquidificador, junto com o suco de limão galego e uma pitada de noz-moscada recém-ralada. Reserve.
4. Junte a mistura de leite com amêndoas com o purê da vagem e sirva em prato de sopa, em temperatura ambiente. Salpique a mistura de manga sobre a superfície e coloque sal e pimenta a gosto.

OS NÚMEROS DE 1 A 3 PODEM SER PREPARADOS COM ANTECEDÊNCIA. PARA UMA CONSISTÊNCIA MAIS RALA, USE MENOS AMÊNDOAS E MAIS LEITE OU USE METADE LEITE E METADE ÁGUA.

Faites simple (Faça de modo simples), aconselha Escoffier e todo grande cozinheiro aprende a agir dessa maneira. Parece que o mestre estava se referindo mais à comida sólida, mas, ao meu ver, a regra também deveria se aplicar ao alimento líquido, que é como a França considera o vinho. Ele tem calorias; tem nutrientes; tem sabores. Sua potência como intoxicante não aparece muito no nosso pensamento (ou bebida), pois a maioria dos franceses considera o vinho um presente sagrado, para ser apreciado, mas sem nunca abusar. Baudelaire, o poeta francês, disse que, se o vinho não fosse mais produzido, haveria um vazio na saúde e na inteligência humanas, e esse vazio seria pior do que todos os excessos pelos quais é acusado. Não bebemos vinho para embotar os nossos sentidos, mas sim para despertá-los. E isso é de importância vital para apreciarmos a comida.

Minha mãe, que me ensinou desde pequena a valorizar a simplicidade de todas as coisas, nunca serviu nenhum aperitivo a não ser Champanhe. Seu raciocínio era simples. Bebida alcoólica forte requer um bar, parafernália especial, uma variedade de copos, bem como misturadores e coqueteleiras. E o mais importante: entorpece mais do que aguça as papilas gustativas. Quando você gasta tempo e dinheiro preparando uma comida deliciosa para seus convidados, a última coisa que pode desejar é torná-los incapazes de saboreá-la. Isso eliminaria um dos mais importantes tópicos da conversa!

Naquela época, depois de anos de um firme crescimento na apreciação de vinhos, percebi uma rivalidade entre os americanos: o renascimento da bebida alcoólica forte. É muito comum nos restaurantes, especialmente entre os jovens, pedir uma bebida forte enquanto estão no bar esperando por uma mesa e depois continuar com a mesma bebida durante o jantar. O álcool contido nessas bebidas pode ser três ou quatro vezes maior do que a mesma quantidade de vinho, então você estará recebendo muito mais calorias junto com uma melancólica percepção do sabor. Também melancólica é a sua sensação natural de satisfação e, sem sombra de dúvida, vai comer mais. Talvez esse seja o segredo de alguns restaurantes sobreviverem servindo uma comida medíocre (é certamente verdade que as margens de lucro com bebidas são bem maiores do que aquelas com comida).

Se você ainda não se converteu aos prazeres do vinho, está privando suas papilas gustativas de um mundo de sabores e talvez ficando vulnerável a procurar compensação com comida demais. O vinho não é só o perfeito acompanhamento para uma refeição, criando uma complexa interação de paladares que estimulam a mente e oferecendo uma experiência muito mais satisfatória; ele também eleva o valor do ritual da refeição, ajudando-o a ver o ato de comer por uma ótica diferente. O vinho cria uma atmosfera de seriedade, convívio, refinamento e luxo, tudo o que é o oposto da tendência de comer negligentemente e de maneira desrespeitosa (se abrir uma garrafa de vinho, é muito provável que não vá comer na frente da televisão).

O vinho também faz bem à sua saúde se absorvido em pequenas doses diárias e sempre, sempre, *sempre* com comida (as mulheres francesas acham extremamente bizarro sentar-se bebericando um cálice de Chardonnay, como se fosse um coquetel. O sabor completo do vinho revela-se somente quando faz par com a comida certa). Além de conter menos calorias por volume do que a maioria das bebidas alcoólicas, o bom vinho também está cheio de nutrientes e é reconhecido por afinar o sangue, baixar a pressão sangüínea e o mau colesterol. Quantos prazeres não diluídos podem fazer tais reivindicações?

Para os americanos, o problema pode ser timidez – "Qual vinho devo escolher?" – ou então falsa arrogância – "Vinho? Oh, claro, tomamos algum em ocasiões especiais". Para o povo francês, o vinho é parte da vida diária e a maioria não faz muito espalhafato quanto às suas escolhas. Na verdade, a maior parte dos franceses só conhece os vinhos da região onde vive. Apesar disso, acho que essa é uma das razões por que as mulheres francesas não engordam.

Apresentar as crianças ao vinho é uma característica da França. Vemos nossos pais beberem um copo de vinho em cada refeição e, naturalmente, queremos provar. Normalmente, oferecem um pouco, porém misturado com água nos almoços de domingo. Mas, às vezes, a travessura é mais forte. Lembro-me de algumas refeições demoradas com toda a família reunida – como, por exemplo, depois da primeira comunhão de um primo – quando algumas crianças, principalmente meninos, esperavam até os adultos levantarem-se para ir passear no jardim. Essa era a deixa para penetrarmos na sala de jantar vazia e atacar os copos e as garrafas que ainda tivessem alguma coisa. Era champanhe, vinho banco e vinho tinto, vinho de sobremesa – todos eles misturados e passados à volta, tão rápido quanto os predadores conseguiam manejar. Geralmente, a festa das bebidas não demorava muito. Mas era longa o bastante; quando eram descobertos, já estavam doentes, alguns vomitando até suas entranhas. Mesmo assim, foi outra lição que nunca é cedo demais para aprender: "Beba com moderação e não misture!"

Na verdade, minha primeira apresentação oficial ao vinho – não é forjada – aconteceu no coração da terra da espumante, que ficava a cerca de uma hora mais ou menos de onde cresci, em Lorraine. Lá viviam dois dos melhores amigos dos meus pais: um arquiteto jovial e divertido trabalhando para a cidade de Reims, a capital do champanhe no mundo, e sua pequenina e adorável mulher. Ela, no entanto, não era grande cozinheira e dependia do seu marido como salvador gastronômico, chamando-o de *mon petit Jésus* (meu pequeno Jesus). Ele, tal qual meu pai, era membro da sociedade do pombo. O casal vinha seguidamente para o célebre *déjeuner du dimanche* (almoço de domingo) da minha mãe, quando, então, o Sr. Lion emprestava seu próprio gênio ao esforço, preparando com minha mãe refeições ainda mais fabulosas. Para retribuir a hospitalidade, convidavam-nos, bem como a outros amigos, para ir a Reims, onde o Sr. Lion deixava minha mãe assumir as rédeas na sua cozinha maravilhosa. Mamãe tinha duas cozinhas para escolher. Naquela propriedade grande, havia a casa principal e um chalé de verão. A cozinha do chalé de verão era toda de cerâmica branca, com equipamento de um determinado período; a cozinha da casa de inverno era como um museu, com um fogão maravilhoso de cerâmica antiga e vários adornos. *Mamie* adorava cozinhar ali, e todos ficavam loucos com a sua comida.

Algumas vezes durante o ano, saíamos de casa cedo no domingo de manhã, e minha mãe, com carta branca, cozinhava durante toda a manhã *chez Lion*. Quando os convidados chegavam, o champanhe era servido e o Sr.Lion achava que as crianças deviam tomar *une petite goutte* (um pequeno gole). Nunca vou esquecer. Primeiro, ensinou-nos como segurar o copo. Não era o copo de água em que nós, crianças, provávamos em casa o nosso vinho misturado com água. Aquele não era o receptáculo adequado para o rei dos vinhos! O Sr. Lion tinha a intenção de iniciar-me em um dos maiores rituais do mundo. Imaginem uma menina de seis anos segurando uma *flute* de Champanhe; com minha mão pequena e gordinha segurando o bojo, o Sr. Lion explicou-me que assim eu esquentaria o champanhe. Mostrou-me a maneira correta de segurar o copo em feitio de tulipa, pela haste ou pelo pé. Fiquei impressionada. Como o Sr. Lion era um homem muito alto para os padrões franceses e tinha aquele apelido esquisito, até aquele momento eu o achara bastante intimidante. Agora, tinha o pequeno Jesus como amigo. E ele adorava champanhe. Que confusão deliciosa. Ainda me lembro dos excitantes primeiros goles em copos de gente grande. Pelo menos uma vez, teria uma grande história de fim de semana para compartilhar com minhas colegas, na segunda-feira. Nenhuma delas já havia experimentado champanhe, muito menos segurado o copo certo! Serviu por todos os fins de semana em que eu era arrastada para colher cogumelos – nada muito agradável para crianças francesas –, enquanto minhas companheiras iam ao cinema. (Minha família insistia em que o tempo que passássemos juntos tinha que se relacionar com comida, e não ficarmos sentados calados no escuro assistindo a um filme.)

Aconteceu que o champanhe que eu bebi era Veuve Clicquot. E uns poucos meses mais tarde, em uma das nossas visitas regulares aos Lion, fomos levados a visitar a propriedade da famosa casa de champanhe. Era a favorita deles e, quando estávamos prontos para partir tarde no domingo, o Sr. Lion colocou uma caixa na mala como agradecimento à minha mãe. Foi assim que ela também tornou-se nossa favorita. Não é surpreendente: qualidade nunca é difícil de vender. Mas eu nem podia imaginar que o grande nome de Veuve Clicquot tornar-se-ia o trabalho de minha vida.

Quando eu era estudante em Paris, depois de estar novamente em forma com o auxílio do Dr. Milagre, decidi dar uma festa para celebrar o fim do período. Fui alegremente a uma loja, a fim de comprar seis garrafas de champanhe. Para meu susto e caçoada do proprietário, mal tinha dinheiro para uma! Quando contei a história para minha mãe durante nosso telefonema regular de domingo, com pena de mim, ofereceu-se para mandar-me um cheque. Havia me ensinado o valor da maioria das coisas, mas infelizmente não o preço. Esta foi uma lição adulta.

Todas as minhas colegas de universidade ficaram incrivelmente impressionadas. Meu precioso oferecimento foi figurativo e literalmente o assunto da classe. O champanhe nunca falha em estabelecer um bom astral. Sua festividade é irreprimível. Tendo aprendido isso, decidi, ali mesmo, que daquele dia em diante economizaria para dar uma festa com champanhe ou não daria festa alguma. Isso faz toda a diferença.

Sou realmente uma dessas pessoas felizes que são pagas para fazer algo de que gostam. E acredite: ainda sinto um "clique" com champanhe. Um bem grande. Para mim, o champanhe é mágico. É também um vinho extremamente feminino. Gosto de tudo nele: a sedutora cor de mel, as pequeninas bolhas (elas devem dançar para você), os cheiros e sabores (limão, pêra, maçã, fruta seca, brioche), o delicioso, longo e espumante sabor que ainda permanece. Gosto do astral que o champanhe cria, uma sensação da qual nenhum outro vinho consegue sequer chegar perto: celebração, afirmação da alegria de viver. Também acho champanhe um vinho muito generoso. O drama no copo torna difícil bebê-lo depressa demais e nunca fiquei bêbada com ele, nem tive ressaca de champanhe. É claro que bebo com moderação e sempre junto com a comida. Assim como em todas as coisas boas da vida, o equilíbrio é a palavra-chave.

Por mais de vinte séculos, no mundo inteiro, os vinhos de Champagne estiveram presentes nas ocasiões felizes; mas só depois da Revolução Industrial, no fim do século XVIII, é que nós, pessoas comuns, tivemos acesso a ele. Antes, era o vinho dos reis e da classe alta.

Durante as últimas décadas, tive a oportunidade de dividir quase diariamente um copo de champanhe com alguém que meu trabalho permite-me conhecer, seja em Paris, Nova York, Santa Bárbara, Bali, Sardenha, Kioto, Mykonos, Provence, Porto Rico, São Francisco, Miami, Nantucket ou outros inúmeros lugares. Como diz o Edward: "Você torna as pessoas felizes. É como se tivesse uma varinha de condão!"

Sempre soube disso. Logo que mudei para Nova York, tive que visitar uma amiga no hospital. Naturalmente, levei uma garrafa de champanhe. Pelos costumes franceses, você leva ou champanhe ou flores e, conhecendo minha amiga, optei pelo primeiro. Mas a enfermeira de serviço não me deixou nem passar da porta. Foi um momento surpreendente de choque de culturas. Na América, com sua história de movimentos de temperança e a Décima Oitava Emenda, champanhe em um hospital parece escandaloso. Na França, você seguidamente vê caricaturas de médicos ao lado da cama de um convalescente bebendo à saúde do paciente.

Atualmente, quando almoço com amigas, reparo que geralmente somos as únicas pessoas no restaurante bebendo champanhe, mesmo se nossa comida for um simples prato de ostras acompanhado de algum pão gostoso com manteiga. O que podem estar "celebrando" ao meio-dia? As pessoas bebendo coquetéis coloridos no bar devem ficar imaginando. Celebrando a vida... Eu acho que Marlene Dietrich costumava dizer que "Champanhe dá a impressão de que todo dia é domingo." Isso diz tudo.

Hoje, na França, bares de champanhe estão espocando por toda a parte. A variedade é maravilhosa. Embora, na verdade, um dos mais antigos bares de champanhe ainda em funcionamento seja em Chicago, "Pop´s for Champagne", aonde vou há mais de vinte anos.

Champanhe continua sendo o meu maior truque para estimular o apetite e despertar o paladar. (Lembre-se de que estar preparado para o prazer da comida é essencial para a satisfação em proporções apropriadas.) É também um vinho que pode acompanhar uma refeição, complementando vários alimentos – sabia que ele combina perfeitamente com pizzas, a acidez contrastando com o azeite e o queijo? Eu não iria tão longe quanto aqueles que dizem que combina com tudo, mas inquestionavelmente é o vinho mais versátil que existe. Você pode se distrair com safras diferentes e até mesmo servir rosé. Ou pode simplesmente aproveitar o "brut" daquele ano por quase o mesmo preço de uma boa garrafa de vinho não-efervescente. Apenas faça da maneira simples: evite servir champanhe com molhos que sejam muito picantes ou os pesados que levem creme. Também não deve acompanhar os poucos alimentos que neutralizam seu sabor: alcachofras, aspargos e chocolate. Cozinhar com champanhe é também muito divertido. É muito mais elegante do que usar um simples vinho branco e, como você precisa só de um pouco, poderá beber o resto da garrafa com a comida.

Aqui vai uma receita perfeita para um jantar *à deux* (a dois) destinado a impressionar seu par. Quando sirvo este prato para convidados, sempre pedem a receita e pensam que estive cozinhando durante horas, mas é feito em pouco mais de meia hora. E tem zero de gordura adicionada; cozinhe o frango no champanhe. Cozinhar com vinho dá gosto, mas as calorias do álcool queimam na panela. Vermute, Pernaud ou qualquer tipo de vinho branco ou tinto podem acrescentar intensidade a um prato, mas, em elegância de acabamento, nada bate o champanhe. Seguidamente, faço esse prato em um dia de trabalho quando estou com pressa e, especialmente, quando recebo convidados durante a semana. Assim que você começa, ele não precisa mais de atenção, dando-lhe bastante tempo para preparar o resto do jantar. A receita é suficiente para quatro, então fico com as sobras para fazer um bom sanduíche de frango.

FRANGO AO CHAMPANHE

4 porções

Comece com o melhor e o mais saboroso frango que encontrar. Quanto ao champanhe, recomendo Veuve Clicquot Rótulo Amarelo Brut. (Que surpresa!) OK, aqui vai minha retratação: trabalho para a companhia, mas sou também afeita ao seu rico e encorpado estilo e qualidade. Uma grande quantidade de bons vinhos espumantes é fabricada no mundo todo, mas não têm o mesmo sabor do champanhe francês. E mesmo os champanhes variam muito, dependendo das uvas utilizadas, da maneira de fazer e da idade. Champanhe tem duas propriedades confiáveis para cozinhar (ou beber). A primeira é ser seco. Champanhe é um vinho austero, alto em acidez. Com o frango, não estou procurando doçura, então Brut é o champanhe que serve melhor. A segunda considera os sabores que o vinho dá ao frango. Veuve Clicquot é notável por seu rico, encorpado e pleno sabor, tendo sido feito de uvas vermelhas (Pinot Noir e Pinot Meunier) e cerca de um terço de Chardonnay.

INGREDIENTES

4 peitos de frango (com pele e osso)
1 chalota partida em quatro
Sal
Pimenta fresca moída na hora
Cerefólio, estragão ou tomilho
1 xícara de champanhe (recomendo Veuve Cliquot Brut rótulo amarelo)

1. Coloque os peitos do frango em uma panela. Jogue ½ copo de champanhe sobre eles. Faça um corte em cada e insira um pedaço de chalota.
2. Coloque a panela sobre a grelha, o lado da pele para baixo, durante 3 minutos, até a pele ficar bem tostada. Vire e asse por mais 5 minutos.
3. Tire o frango da assadeira, regue com os molhos que estão na panela e acrescente a remanescente ½ xícara de champanhe. O forno deve estar a 475° e asse por 30 minutos, regando uma ou duas vezes.
4. Sirva com arroz integral. Cogumelos fritos dão um toque especial e combinam perfeitamente com champanhe. (Em uma frigideira morna, coloque um pingo de azeite, acrescente cogumelos cortados e cozinhe por alguns minutos. Acrescente umas gotas de limão, sálvia fresca picada, temperos a gosto e 1 colher (sopa) de manteiga.) Coloque os caldos do frango sobre a carne e o arroz. Sirva o remanescente da garrafa de champanhe (uns 6 copos) com a refeição.

Embora o champanhe seja a minha primeira escolha entre os vinhos, quando não está disponível ou não é apropriado, aprecio um copo de qualquer vinho que seja de bom a importante (o que não quer dizer de maneira alguma que seja igualmente caro) e tenho os meus favoritos brancos e tintos vindos de quase todas as partes do mundo onde o vinho é produzido. Gosto de brancos secos, amo um bom Chablis, Meursault ou um Riesling seco da minha amada Alsácia, um Sauvignon Blanc da Nova Zelândia, ou um Chardonnay não-filtrado do Napa Valley. Quanto aos tintos, prefiro os suaves e leves do tipo médio, tais como o Volnay da Borgonha e outros Pinot Noirs, ou tintos da Toscana, ou, para algo mais importante, do Rhône. Realmente, não sou fã daqueles grandes tânicos Cabernets com alto teor alcoólico, embora algumas comidas clamem por ele e eu goste de corresponder.

À medida que vou ficando mais velha, fixo minhas escolhas em uma ou duas variedades de uva durante uma refeição – em vez de mudar a cada prato para vários vinhos misturados com uvas diferentes –, pois é mais suave para o meu corpo. E nunca toco em bebida alcoólica forte. Você deve aprender a conhecer suas preferências em relação ao vinho e estar pronta para adaptá-las de vez em quando. Minhas primeiras escolhas são Chardonnay e Pinot Noir. Chegar a conhecer algumas uvas diferentes é uma boa maneira de começar sua apreciação do vinho. Aqui, não é o lugar para uma dissertação sobre como unir comida e vinho, mas sim para ilustrar meu ponto de vista sobre alguns casamentos clássicos que são altamente compensadores. Ofereço os seguintes exemplos para fazer você pensar: Pinot Noir com salmão ou pato; Cabernet Sauvignon com bife e carnes grelhadas; Zinfandel com peru; Chardonnay com galinha ou lagosta; Sauvignon Branco com camarão; Champanhe com quase tudo. Em suma, vivo segundo as duas regras que existem para unir comida e vinho. Primeira regra: sirva vinho tinto com carnes e vinho branco com peixes e aves. Segunda regra: esqueça a primeira regra e deleite-se juntando qualquer comida com qualquer vinho, contanto que escreva a fórmula individual que funcione para você e que lhe proporcione o maior prazer possível à mesa.

Agora, qual é a quantidade de uma coisa boa que seja certa para você? Em média, as mulheres simplesmente não conseguem beber tanto quanto os homens, mas acho que um ou dois copos por dia fazem mais do que qualquer maçã para manter o médico afastado. Além do que, realmente, não consigo apreciar um almoço ou um jantar sem um copo de vinho.

Não obstante, todos nós, de vez em quando, enfrentamos a tentação de exagerar: almoços demorados em restaurantes, reuniões de férias ou outras ocasiões festivas, quando parece que o copo é mantido sempre cheio. Como já descrevi, meu próprio trabalho coloca-me constantemente no caminho da tentação, e muito álcool não só desinibe (um desastre profissional poderoso), como também encoraja a comer demais (um demolidor de equilíbrio).

Cedo, na minha carreira, aprendi um truque valioso. Logo que entrei no negócio de vinho, fui hóspede em uma grande casa de champanhe onde, dia sim dia não, havia de vinte a trinta pessoas convidadas para almoço e jantar. Em ambas as ocasiões tinha uma equipe em tempo integral e uma anfitriã, também relações-públicas, uma condessa maravilhosa com cerca de quarenta e tantos anos.

Um dia, foram servidos seis vinhos no almoço, que durou bem mais de três horas, e alguns convidados deixaram a mesa nitidamente alterados. Mas a condessa levantou-se fresca como uma rosa e, percebendo meu olhar de admiração, levou-me para o lado, feliz por compartilhar seu truque simples: em qualquer refeição, limitava sua ingestão total a um copo simplesmente, *fingindo* beber a maior parte do tempo. Recomendou-me que prestasse atenção naquela noite, durante o jantar. Como anfitriã, ela era a indicada para falar, para dar as boas-vindas ou para fazer um brinde, então era, naturalmente, o centro das atenções. O que ninguém percebeu foi que mal colocava os lábios no copo e então bebia um ou dois goles. Quando o garçom chegava com o vinho, seu copo ainda estava cheio, então passava por ela e enchia os copos dos outros, e ninguém percebia nada. Alguns convidados já teriam bebido dois ou três copos enquanto a condessa mal havia bebido um terço do dela. Isso, ela repetiu durante os pratos restantes, afirmando que, no total, não bebia mais de um copo, mas nem por isso deixava a desejar no aspecto de sociabilidade. Sem aplicar diariamente o conselho da condessa, nunca conseguiria manter o meu emprego todos esses anos, já que, igual a ela, preciso receber freqüentemente para almoço e jantar. Conforme ela sabia muito bem, quando estamos promovendo os prazeres da comida e da bebida, seus convidados para jantar nunca devem desconfiar de que você já teve um almoço com três pratos e vinho.

9

PÃO E CHOCOLATE

Recentemente, vi em Paris uma peça pequena chamada *Les Mangeuses de Chocolat* (traduzido livremente como *Mulheres que Comem Chocolate*). Três jovens viciadas decidem tentar um grupo de terapia, e a terapeuta (ela mesma uma ex-chocólatra) vai tentar ajudar cada uma a descobrir seu *élément déclencheur* (elemento detonador). Todas falham (surpresa) e nada fica resolvido (isso é teatro francês), mas tem muitas falas boas, algumas com mais do que um grão de verdade. Por exemplo: uma pesquisa revela que nove entre dez pessoas admitem gostar de chocolate... E a décima está mentindo.

A peça era uma sátira a uma obsessão francesa (chocolate), mas também à terapêutica instituição da qual talvez ninguém conseguisse se livrar na América. Aceitei de bom humor, exceto quando foi feito um comentário sobre uma mulher que comia seu chocolate *en cachette* (escondido). Para os franceses, a idéia parecia boba o bastante para ser uma piada, mas dada a minha experiência na América, não consegui achar graça. Muito freqüentemente, a mulher americana come em segredo e o resultado é muito mais de culpa do que de prazer. A tendência combina com uma atitude que deve ser mudada. Nada é deliciosamente *pecaminoso*. Se você realmente gosta de uma coisa, como eu que adoro chocolate, há sempre um lugar para esta coisa em sua vida. Mas a culpa não nos abandona tão facilmente. É necessário cultivar o prazer para poder apreciar o chocolate em plena luz do dia. O mesmo acontece com outras excelentes comidas que os americanos consideram *negativas*.

As mulheres francesas comem chocolate (uma média de seis quilos por ano). Também comem pão (fizemos uma revolução sobre isso!), outro item na nossa lista de controle de agressores. Mas: *as mulheres francesas não engordam*. Na realidade, temos aqui outra forma do paradoxo francês: fingir que tais prazeres não existem ou tentando eliminá-los da sua dieta por um longo tempo, provavelmente só a levará ao ganho de peso. O único efeito de longo prazo da privação é o efeito sanfa. É completamente inútil, especialmente porque tanto o pão como o chocolate são bons para você.

Se vamos comer pão e chocolate (e nós vamos) e não engordar (e nós não vamos), precisamos usar a cabeça, como aconselha o Dr. Milagre. Maximize as recompensas do prazer e minimize os custos. Na verdade, ele insistia em dizer que os pequenos prazeres (*menus plaisirs*) eram o segredo do sucesso e, segundo a sua receita, eu precisava ter o meu chocolate, mas em pequenas doses *(par petites doses)*. Eu também tinha que cultivar a valorização do que estava comendo. Em resumo: ensinou-me a maneira francesa de apreciar aquelas comidas que podem ser amigas ou inimigas, dependendo da maneira como são tratadas. As chaves do prazer são a consciência sensorial, a noção de quantidade e qualidade e uma boa visão do bem-estar geral (*bien-être*).

Já confessei que *je raffole de chocolat* (sou louca por chocolate), o que basicamente significa que eu sou uma chocólatra. Estou convencida de que herdei esse gene da minha mãe. Ela tinha uma lista fantástica de sobremesas de chocolate, bem como uma paixão por seu consumo direto. Isto fazia com que fosse a pessoa mais fácil do mundo para receber presentes. Presenteá-la com chocolates da Bélgica, da Suíça ou de qualquer bom fabricante francês de chocolate era o caminho mais seguro para o seu coração. Alguns anos atrás, quando morreu um famoso fabricante de chocolates em Lyon, aos setenta e muitos anos, o obituário no jornal *Le Monde* revelou que ele comia um tablete por dia (uma barra de chocolate de bom tamanho), durante toda sua vida. Esse fato serviu de brincadeira na nossa família, pois agora havia provas de que pelo menos uma pessoa na França tinha comido mais chocolate do que a minha mãe. Mas, como ela viveu mais de noventa anos, deliciando-se com chocolate todos os seus dias, tenho certeza de que, no fim, ganhou dele.

Se a magnitude do hábito do chocolate não lhe parece impressionante, sua relação com ele deve ser examinada. Pelos padrões franceses, o hábito do homem de Lyon era extraordinário – poucos de nós poderíamos comer tanto e, ainda assim, comer corretamente. Não que o prazer por chocolate seja um esporte competitivo. Na verdade, quando minha mãe estava degustando o dela, era mais como uma meditação Zen. Ninguém falava. Um olhar para suas expressões, seus lábios e seus olhos ordenava um silêncio na casa. Era uma maneira natural de reverenciarmos nossa mãe, permitindo-lhe o momento para saborear um dos seus mais elementares prazeres. Saber apreciar aquela explosão de sabores delicados, aquela maciez suprema da textura que se derrete na boca e começa a descer pela garganta, é, para mim, uma grande realização sensual do ato de comer. É uma experiência que nem se compara com comer uma barra de Snickers correndo. Mas como é que esta doce loucura evoluiu? A história revela que há raízes profundas na sedução do *Theobroma cacao*, nome técnico do chocolate, significando, em grego, "comida dos deuses".

O chocolate veio para a Europa via Novo Mundo, na época das grandes descobertas. Os Olmeques* (1500-600 a.C.) parecem ter sido os primeiros a conhecê-lo. A idéia deles sobre o chocolate era a de uma bebida altamente energética, extremamente amarga e picante, e uma espécie de barrinha energética reservada só para os homens (padres, príncipes e guerreiros); eles acreditavam que esse alimento mágico iria melhorar as lutas na guerra, as proezas sexuais e que era uma chance de sobreviver à mordida de cobra. Mas a nossa própria versão pode ser traçada nas últimas civilizações pré-colombianas, em torno do ano 3.000 a.C., quando as árvores de cacau cresciam no solo quente e úmido da Mesoamérica, onde, nos tempos de hoje, estão o México e a Guatemala.

Para os Astecas e os Totonacas,** o chocolate não era apenas um elixir, mas também um símbolo de valor. Seu sistema de comércio era baseado nos padrões do cacau, e o chocolate produzido era consumido

---

**Nota da Tradutora:* Antigo povo pré-colombiano.

***Nota da Tradutora:* Povo antigo do México.

por nobres e mercadores (todos homens, é claro) em banquetes. Ainda era amargo e picante, mas era misturado com baunilha, mel e flores, e servido frio e espumante, geralmente no fim da refeição, junto com tubos para fumar tabaco. Além de possuir poderes energizantes (essas misturas eram, sem dúvida, altamente cafeinadas), acreditava-se serem afrodisíacos. Dizem que o Imperador Montezuma é conhecido como tendo consumido grandes quantidades, de várias cores, em copos de ouro, antes de ir visitar seu harém!

Só depois da quarta viagem de Colombo, em 1502, foi que os europeus provaram o chocolate, mas parece que os espanhóis ficaram indiferentes até 1528, quando Cortez trouxe consigo não só as sementes de cacau, mas também a receita e os apetrechos para fazer chocolate. Tornou-se uma sensação espanhola. Depois disso, a direção da conquista global foi revertida, pelo menos gastronomicamente. Desde então, a Europa tornou-se o continente de fanáticos por chocolate. Dizem que Maria Thereza, mulher de Luís XIV, assegurou ao Rei Sol que ela não tinha paixões a não ser por seu marido e por chocolate (embora a gente se pergunte de qual ela gostava mais). No século XIX, Brillat-Savarin, que era uma autoridade e grande gastrônomo, proclamava: "Chocolate é saúde" e prescrevia-o para muitas doenças bem antes de a ciência confirmar seus efeitos terapêuticos.

Na sua forma pura escura, o chocolate realmente mostrou-se "amigo do coração", com mais antioxidantes do que chá preto ou vinho tinto, e também porque tem grande quantidade de magnésio, ferro e potássio (todos vitais para a saúde da mulher). Pode também aliviar a ansiedade e a depressão, pois contém serotonina e teobromina, que agem nos receptadores do cérebro e têm uma influência benéfica no humor. Como também tem alto teor em gordura, é sempre melhor degustá-lo depois de refeições ligeiras do que depois de uma comida pesada em festas, ou, sozinho, como aperitivo.

Um dos progressos mais desanimadores do século XX foi a produção do chocolate em massa. Isso criou um produto inferior cheio de gorduras ruins e, como resultado, muitos americanos nunca provaram o chocolate verdadeiro. Mas surgiu um certo alívio com o aparecimento de novos chocolateiros artesanais, guardiões apaixonados dos métodos tradicionais que eram executados no século XVIII. É por estes fabricantes de chocolate, agora pipocando pela América, que temos que procurar pela qualidade que primeiro inspirou a adoração ao chocolate. Meu mantra de qualidade sobre quantidade é duplamente importante quando aplicado em algo tão potente como o chocolate.

A qualidade do chocolate é resultado de um trabalho intensivo e complexo. Requer uma cuidadosa seleção de pomar, cultivo e depois colheita desse fruto precioso. Em seguida, vem a fermentação e duas etapas de secagem, seguidas da torrefação e mais alguns procedimentos delicados antes que se obtenha a massa do cacau. A prova da atenção adequada e da habilidade vai estar na massa. Dessa massa, são extraídos três produtos: licor, manteiga de cacau e pó de cacau. É com esses materiais que o artesão trabalha, fazendo barras de chocolate, ganache (uma mistura de chocolate com manteiga ou creme fresco, ou um laticínio), *praliné* (uma mistura de açúcar com amêndoas ou avelãs picadas e chocolate), ou chocolate recheado com fruta ou licor.

Ao provar o chocolate seus sabores essenciais são doçura, salinidade, acidez e amargor. Acidez é o que você deve sentir dentro das faces, e é essencial para a difusão dos aromas e a persistência do gosto na boca. O amargor é sentido na ponta da língua. Denota um chocolate com pouco açúcar e de boa qualidade, contanto que não impeça nenhuma outra sensação. A textura também é vitalmente importante para caracterizar: maciez, o crocante da casca. A habilidade do artesão para lidar com o yin e o yang do chocolate – doce-salgado, agridoce, agriamargo, duro-macio, crocante-adocicado – explica por que a experiência do trabalho de um mestre pode ser completamente diferente da experiência do trabalho de outro.

Para as francesas, o verdadeiro continua sendo o chocolate escuro, agridoce, ou melhor ainda, extra-agridoce, que é o mais puro, com maior quantidade de cacau sólido – a coisa que faz o chocolate ter gosto de chocolate. Embora você raramente encontre alguém que "não goste de chocolate", o que a média dos americanos consome um conhecedor nunca tocaria: chocolate com leite, chocolate branco ou qualquer outra das várias espécies de pacotes que são vendidos nos supermercados ou em drugstores. Isso é simplesmente comida de má qualidade, cheia de açúcar, contendo muito pouco cacau e, na maior parte das vezes, colorida artificialmente e preservada (o chocolate verdadeiro, assim como o café recém-moído, tem uma vida de sabor integral muito curta).

Reconhecidamente, nós, franceses, empolgamo-nos com o chocolate: temos museus do chocolate e clubes. Temos revistas dedicadas ao chocolate, a *université du chocolat* (universidade do chocolate) *e salons du chocolat* (feiras). Tem degustações e competições para o melhor suflê de chocolate, o melhor biscoito de amêndoas com chocolate. Alguns parisienses atravessam o rio Sena simplesmente para comprar os *grains de café* (chocolate do feitio de um grão de café) em uma casa especializada. E a França, sendo a França, tem como autoridade máxima *une Académie du chocolat* (uma Academia de chocolate). Sempre que eu chegava em casa com uma nota boa, minha mãe dizia: "*Tu mérites la médaille en chocolat*" ("Você merece a medalha de chocolate"). Era um elogio agridoce: em um país onde as honras nacionais são rotineiramente concedidas apenas a amigos, só uma honraria de chocolate podia ser um reconhecimento honesto do mérito.

O valor do bom chocolate continua firme. Muitas mulheres francesas dizem: "*Je déprime donc je chocolate*" (Quando estou deprimida, "chocolato"), querendo dizer que mergulham no chocolate. Quando você chegar a reconhecer o potencial do prazer de saborear e o alívio psíquico, então vai entender que vale o investimento. Felizmente, com bom chocolate você não precisa de quilos para ter prazer. Algumas peças escolhidas por dia não vão desequilibrar o seu orçamento ou a manutenção do seu programa de vigilância do peso. Para aqueles que não têm uma loja de chocolate por perto, em lojas que agora aparecem na maior parte das cidades americanas, é possível encomendar diretamente o produto de alta qualidade, como o Valrhona, escuro. Substancial e delicioso.

E, é claro, usando um pouco da "comida dos deuses", você pode elevar a mais simples sobremesa a um sacramento.

Aqui vão algumas das minhas receitas favoritas de família usando chocolate.

ARROZ DOCE COM CHOCOLATE

4 porções

Esta comida perfeita é uma sobremesa deliciosa para o inverno e muito fácil e rápida de fazer antes que seus convidados cheguem. Deixe-a sobre um aparador até a hora de servi-la.

INGREDIENTES

2 xícaras de leite
1 ½ xícara de açúcar
1 pitada de sal
1 xícara de arroz arborio
1/2 colher (chá) de essência de baunilha
90g de chocolate amargo (8% de cacau), quebrado em pequenos pedaços

1. Coloque o leite, o açúcar e uma pitada de sal em uma panela e deixe ferver em fogo baixo.
2. Acrescente o arroz e cozinhe por 20 minutos, mexendo ocasionalmente até que o leite seja absorvido (se a mistura ficar grossa, junte um pouco mais de leite para manter o arroz cremoso). Coloque a baunilha.
3. Despeje o pudim de arroz em 4 forminhas e, usando uma colher, insira um pedaço de chocolate no meio de cada uma e empurre-o para dentro do arroz.
4. Deixe em temperatura ambiente. O chocolate vai se derretendo aos poucos e misturando-se ao pudim.
5. Deixe seus convidados escolherem a maneira como querem comer: misturando tudo ou começar comendo o arroz misturado ao chocolate derretido e o centro separado – é uma questão de gosto e de vontade.

FALSO SUFLÊ DE CHOCOLATE EXPRESSO

4 porções

Suflês são fáceis de fazer assim que você aprender a técnica e tiver alguma prática, mas não são práticos para se fazer quando estiver recebendo, porque requerem muita atenção e muito tempo longe dos seus convidados. Além disso, o medo de que o suflê murche não vale o risco. Em vez disso, aqui vai uma receita que pode ser preparada com antecedência; é um suflê frio, gostoso e que causa boa impressão.

INGREDIENTES

250g de chocolate amargo (mais de 70% de cacau, no mínimo)
2 claras
Sal
4 gemas
2 colheres (sopa) de café expresso forte

1. Derreta o chocolate em banho-maria, em fogo médio.
2. Bata as claras com uma pitada de sal, até que elas fiquem duras e brilhantes.
3. Misture as gemas no chocolate.
4. Junte o café. Gentilmente, junte 1/3 das claras e depois o resto.
5. Coloque a mistura do suflê em fôrmas, cubra com PVC e coloque na geladeira por quatro horas antes de servir.

EMBORA A MAIOR PARTE DOS AMERICANOS ENCARE OVOS CRUS COM MAIS ANIMAÇÃO DO QUE O NECESSÁRIO, É MELHOR NÃO SERVIR PRATOS QUE TENHAM OVOS SEM ESTAR COZIDOS PARA MULHERES GRÁVIDAS, CRIANÇAS PEQUENAS, IDOSOS E PESSOAS COM DEFICIÊNCIA DE IMUNIDADES NO SISTEMA. E OS OVOS ORGÂNICOS, DE GALINHA CAIPIRA, SÃO SEMPRE OS MAIS SEGUROS E TAMBÉM OS MAIS GOSTOSOS.

MOUSSE DE CHOCOLATE

6 porções (½ taça por pessoa)

Há, no mínimo, uma dúzia de receitas de mousse de chocolate na minha família. A maior parte das famílias francesas tem inúmeras preparações para essa sobremesa, que é, entre as comuns, a mais proeminente das escolhas para sobremesas de chocolate feitas em casa. Todas elas são boas, mas essa é uma favorita por sua pureza (não leva manteiga, nem café, muito pouco açúcar e mais claras do que gemas, o que a faz ficar leve, a sobremesa perfeita para depois de uma refeição substancial).

INGREDIENTES

120g de chocolate amargo (de preferência 80% de cacau)
1 colher (sopa) de açúcar
3 gemas
5 claras

1. Derreta o chocolate em banho-maria em fogo médio.
2. Tire o chocolate do fogo e junte o açúcar. Mexa bem e acrescente as gemas, uma de cada vez.
3. Bata as claras, até ficarem firmes.
4. Junte as claras ao chocolate, até ficarem bem misturadas.
5. Coloque a mousse em uma tigela de servir, cubra com PVC e deixe na geladeira de um dia para outro.

FATIAS DE PÃO COM CHOCOLATE

1 porção

Esta "comida de criança" funciona como sobremesa, lanche ou jantar. Depois de um almoço completo e balanceado, nossa babá gostava de alimentar-nos com essa *tartine* fácil (fatias de pão) e sair depois que comíamos. Sua única queixa era que depois tinha que limpar o meu rosto *barbouillée de cacao* (lambuzado de chocolate) e tinha que me lavar antes de ir encontrar com seu namorado, que ficava lá fora esperando por ela. A criança em mim continua lambuzando-se ocasionalmente com essa *tartine* no jantar.

INGREDIENTES

30g de creame cheese
1 fatia grossa de pão
1 colher (sopa) de chocolate em pó

1. Espalhe sobre o pão uma camada grossa de creme de leite e polvilhe com chocolate em pó.
2. Sirva com xícaras de chocolate quente feito em casa.

Para terminar, um pequeno leito de chocolate derretido é um cenário irresistível para uma gostosa fruta cozida e pode transformar uma simples sobremesa em algo muito chique.

Recentemente, sentei-me ao lado de um famoso *restaurateur* em Nova York que me disse: "Não é terrível como não se come mais pão em Nova York?". Desde que a polícia do carboidrato começou a patrulhar durante vinte e quatro horas por dia, o pão parece ter-se tornado o inimigo público número um. Para mim, é triste ver que tantas pessoas estão esquecendo um dos mais elementares prazeres da vida por causa de uma estratégia inútil para perder peso. Mais triste ainda é ver que os adeptos da estratégia preferem arriscar uma doença de coração a deixar que um pedaço de pão passe por seus lábios. Será que o pão engorda as pessoas? Ridículo! É claro que muita quantidade de muitas coisas vai engordar. Mas não há nada de errado com pão, *per se*. Eliminá-lo de uma dieta é lamentável, provavelmente pouco saudável... e muito pouco francês. Os franceses dizem: *"On ne badine pas avec l'amour"* (Não se brinca com o amor). Para nós, o mesmo serve para o pão, uma velha chama da qual nunca vamos separar-nos.

Não me entenda mal. Não insisto para que o pão tenha que fazer parte da sua vida. Centenas de milhares de pessoas neste planeta vivem muito bem sem ele. Mas se, como eu, você aprecia um bom pão, fique sabendo que pode ingeri-lo e gozar de perfeita saúde.

O bom pão é rico em fibras e vital para o *transit intestinal* e nós, franceses, preocupamo-nos tanto com a digestão como com a alimentação. E como o pão francês não contém gordura e tende a ser leve, não é o tipo de coisa da qual precisemos aproximar-nos cautelosamente. Mas as mulheres francesas têm suas regras quanto a isso. Contamos as nossas fatias e não comemos pão antes que o primeiro prato seja servido, evitando o grande perigo de jantar fora: o pão como pré-antepasto. É um truque simples, que vale a pena ser aprendido. A não ser que esteja desmaiando de fome, segure-se por uns dez minutos e evite um grande número de calorias, deixando espaço para uma refeição balanceada.

Comer uma ou duas fatias de pão *com* a refeição (ou como uma refeição) é um dos nossos grandes prazeres. Uma fatia de baguete não tem mais calorias do que um pedaço de fruta e, tratando-se de um carboidrato desprende açúcar mais lentamente. Com algumas sardinhas, uma fatia de trufa, ou o que você tiver e manteiga, pode ser uma pequena refeição maravilhosa e satisfatória. *Tartine beurrée* (pão com manteiga) é um grande café-da-manhã; *jambon-beurre* (presunto em um pão com manteiga), o clássico sanduíche francês, tornou-se uma refeição popular. Nos sanduíches americanos, o pão parece ser incidental; nos sanduíches franceses, o recheio é que oferece a ocasião para comer pão. Não que você precise de ocasião. Minha mãe sempre cortava um pedaço de baguete mais ou menos às onze horas e comia como um *coupe faim* (ataque de fome).

O maior obstáculo para os americanos não é a quantidade de pão que consomem, e sim a qualidade. Mas, a esse respeito, eles não estão sozinhos. A maior parte dos países europeus perdeu sua tradicional vocação para fazer um bom pão. Mesmo na Itália, onde a comida rivaliza com a francesa e também é levada a sério, a qualidade do pão já não é mais a mesma. Amigos italianos que me visitam em Paris estão sempre procurando pela melhor baguete e o melhor *pain au levain* (pão de levedura) ou croissant (este é anualmente o motivo de concursos na região de onde eu venho), o que mantém os padeiros franceses sempre afinados.

Precisam ficar assim, porque os franceses simplesmente não tolerariam um pão ruim. Já vi amigos franceses reclamarem do pão ao dono de um pequeno bistrô na redondeza que servia uma comida maravilhosa. Confesso que não era o melhor pão que já havia comido, mas também não era do tipo industrial intragável e que se encontra em um restaurante parecido em Nova York. Não importa: na nossa visita seguinte, percebi que haviam mudado de padeiro. Você pode imaginar isso em qualquer outro país?

Compartilhamos uma série de padrões e esperanças. A baguete tem que ser *croustillante* (quebradiça e com crosta), com buracos grandes e irregulares, enquanto procuramos por *moelleux* (maciez e untuosidade) e acidez na brancura *do pain au levain*. E tem os que acompanham a comida. Com ostras, gostamos do *pain de seigle* (um pão marrom leve feito com dois terços de centeio e um terço de farinha de trigo). Com nosso queijo, gostamos do pão de noz ou de avelã, não de qualquer pão de nozes, e, claro, o pão de azeitona, que se tornou um artigo procurado não só na Provence, mas como acompanhamento no Mediterrâneo para qualquer prato, principalmente peixes. Enfim, o pão nunca fica reduzido a algo sem valor e, assim como outras coisas, temos prazer em explorar todas as suas possibilidades sensuais.

Eu estaria enganando vocês se dissesse que a França sempre foi um paraíso de pão durante toda minha vida. Na verdade, de 1960 até 1980 sofremos uma espécie de crise nacional do pão – o que nós, franceses, ironicamente chamamos de "falso período industrial", quando os métodos de tempo respeitado e ferramentas foram substituídos por equipamentos e técnicas industriais. Suponho que tenha sido uma idéia gaullista de progresso. Felizmente, isso já foi há muito tempo, embora remanescentes desta era ainda possam ser encontrados em sacos plásticos nos hipermercados. Graças a um americano chamado Steven Kaplan, professor da Universidade de Cornell e um francófilo amante de pão, e ao antigo primeiro-ministro Edouard Balladur, houve uma reforma na legislação aprovada em 1993. A agora famosa Lei Balladur foi amplamente melhorada, ou melhor, reivindicou o tradicional padrão do pão francês. Farinha, levedos, técnicas de fermentação e sabor fizeram com que os amantes do pão nunca mais se queixassem. Hoje em dia, a tradição está firmemente entregue a uma nova geração de devotados padeiros artesãos. Eles têm orgulho não só de fazer direito como também de fazer o melhor, reconhecendo que a reputação do país está em jogo.

Para minha grande satisfação, esses padeiros têm seus compadres espirituais na América. O renascimento do pão é uma parte vital do movimento artesanal americano e está havendo uma proliferação de lojas especializadas e novas ofertas nos bons mercados, como descobri no meu lugar favorito, na Union Square de Nova York.

Mas se perto de você não houver um artesão – e é pura sorte fora das grandes cidades –, o que fazer? Logo que me mudei para Nova York, eu estava neste barco. Isso me forçou a fazer algo que poucas mulheres francesas precisam fazer: aprendi a fazer o meu próprio pão. O que ainda foi mais difícil: tive que aprender a fazer croissant para corresponder a um desejo desesperado em um domingo de manhã que simplesmente não podia ser resolvido pelas gordurosas abominações que as padarias americanas chamam de croissant.

Para aqueles que consideram fazer pão um retrocesso, com uma perda de tempo tão grande quanto lavar as roupas no rio, ofereço a sabedoria do grande gastrônomo americano M.F.K.Fisher, que, no livro *The Art of Eating*, disse: "Nem o exercício de ioga, nem meditação em uma capela cheia de música, vão livrá-lo de suas tristezas melhor do que a humilde tarefa de fazer seu próprio pão." Não é que eu possa rivalizar em qualidade com os padeiros de Paris, mas nada prepara alguém para a experiência completa de saborear um bom pão como a aromática antecipação de assá-lo. E nada iguala o aroma do pão nesta primeira meia hora fora do forno. Talvez seja por isso que nos meus fins de semana em Paris esquematizo o meu tempo pela hora que Carton, o grande mestre do meu bairro, assa o pão. Talvez também seja por isso que, em Nova York, meus amigos continuam vindo nos domingos de manhã, pelos meus croissants amadores, mesmo antes de os meus padrões terem melhorado. É boa vontade colher os prazeres da comida na sua forma mais maravilhosa. As mulheres francesas não comem o *Wonder Bread* (Pão Maravilha).

Tente fazer um pão no fim de semana.

BAGUETES

4 porções

As baguetes representam a França tanto quanto a Torre Eiffel. E embora as mulheres francesas não o façam mais hoje em dia, quando estão à venda qualquer esquina, não há substituto para o intoxicante aroma de um pão recentemente assado em casa. Boas baguetes devem ser crocantes, úmidas, e, é claro, saborosas. E são espantosamente fáceis de fazer. A quantidade de água depende da farinha e do clima.

INGREDIENTES

1 colher (chá) de fermento em pó
2 xícaras de água morna
4 a 5 xícaras de farinha de trigo
2 colheres de sal kosher
1 ovo batido e misturado com 1 colher de sopa de água fria

1. Em uma pequena tigela, dissolva o fermento em 1/2 xícara de água morna. Deixe de lado durante 10 minutos.
2. Misture a farinha e o sal. Junte a mistura do fermento, mexa e junte 1 e ½ xícara de água que está sobrando. Mexa até que forme uma massa bastante pegajosa para amassar. Em uma superfície ligeiramente coberta de farinha, amasse de 6 a 10 minutos; a massa deve ficar pegajosa e macia. Coloque em uma tigela, cubra com pano úmido e deixe crescer em temperatura ambiente, até dobrar de volume, em mais ou menos 1 hora.
3. Soque a massa e divida em 4 peças. Dê a cada uma o feitio de baguete. Transfira os pães para um tabuleiro ligeiramente untado (eu uso uma fôrma em feitio de baguete) e deixe crescer até quase dobrar de tamanho.
4. Preaqueça o forno em 450°. Pincele com a mistura água-ovo. Com uma faca afiada, corte os pães em diagonal, no sentido do comprimento.
5. Vire duas xícaras de água quente em uma panela e coloque no forno preaquecido, ao lado das baguetes, para fornecer umidade.
6. Asse as baguetes por 15 minutos, depois abaixe a temperatura para 400° e asse por mais 5 ou 10 minutos, até ficarem na tonalidade marrom-dourado. Retire do forno e deixe esfriar antes de cortar.

CROISSANTS

12 porções

Os croissants são feitos em etapas; leva tempo para fazê-los crescer. Você precisa começar em uma sexta-feira para apreciá-los na sua epifania matutina de domingo, mas os passos individuais são bastante rápidos e, ao todo, leva mais ou menos 1 hora e meia para prepará-los. E a técnica não é difícil de dominar; depois de certo tempo, você será uma perita em croissants.

INGREDIENTES

1 xícara de leite mais
2 colheres (sopa) para pincelar os croissants
2 colheres (chá) de fermento seco
2¼ de xícaras mais
3 colheres (sopa) de farinha de trigo (meça e reserve em tigelas separadas)
2 colheres (sopa) de açúcar
1 colher (chá) de sal
12 colheres de manteiga sem sal

PARA DAR BRILHO

1 gema de ovo misturada com
1 colher (sopa) de leite

1º DIA – SEXTA-FEIRA À TARDE

1. Aqueça, sem deixar ferver, uma xícara de leite. Dissolva o fermento em ¼ de xícara do leite morno. Mexa com 2 colheres (sopa) de farinha até que não fique embolado. Cubra com PVC e deixe na temperatura ambiente até que dobre de volume (deve levar uns 20 minutos).
2. Misture o açúcar e o sal em 2 e ½ xícaras de farinha.
3. Aqueça o leite restante. Transfira tudo para o vidro do liquidificador, junte o leite morno e, com a batedeira elétrica a toda velocidade, comece a juntar o açúcar, o sal e a farinha (do passo 2), um pouco de cada vez, reduzindo a velocidade para média até a pasta ficar pegajosa e macia.
4. Cubra a tigela com papel-filtro e deixe na geladeira durante toda a noite.

2º DIA – SÁBADO DE MANHÃ

1. Com a manteiga em temperatura ambiente, junte as 3 colheres (sopa) de farinha usando a parte inferior da palma da mão até que a massa fique macia. Modele em forma de quadrado.
2. Polvilhe a superfície onde está trabalhando (um tampo de mármore seria o ideal) com a farinha. Modele a massa em um retângulo de 15×40cm, espalhe o quadrado de manteiga nos 2/3 da parte de cima do retângulo, deixando uma borda de 1cm ao redor dos lados e em cima. Dobre a massa como uma carta, em três. Vire a massa no sentido horário (vai parecer com um pequeno caderno de notas, com a ponta aberta à sua direita) e, então, novamente enrole a massa em um retângulo de 15×40cm e dobre como antes.
3. Transfira a massa para uma assadeira coberta com PVC e refrigere por 6 horas.

2º DIA – SÁBADO À TARDE

Enrole a massa mais duas vezes, embrulhe e deixe na geladeira até o dia seguinte.

3º DIA – DOMINGO DE MANHÃ

1. Mais ou menos uma hora e meia antes de assar, tire a massa da geladeira e polvilhe com farinha a superfície do lugar de trabalho. Enrole a massa em um círculo de 40cm, trabalhando o mais rápido possível. Usando a faca, corte a massa em quartos e depois corte cada quarto em três triângulos.
2. Com as duas mãos, enrole a base de cada triângulo na direção do canto que ficou. Não enrole os finais no feitio de croissant. Transfira os croissants para um tabuleiro de assar e pincele com 2 colheres (sopa) de leite. Deixe ficar em temperatura ambiente durante uns 45 minutos ou até que os croissants tenham dobrado de tamanho.
3. Preaqueça o forno em 400°. Pincele os croissants remanescentes com a mistura para dar brilho e asse por mais 15 ou 20 minutos. Deixe esfriar 20 minutos antes de servir. Se os croissants ficarem na cor marrom muito depressa, cubra-os levemente com papel-alumínio e continue assando. Deixe esfriar 20 minutos antes de servir.

PÃEZINHOS DE SEMENTES DE PAPOULA

12 porções

Espantosamente, nem minha mãe nem minha *tante* Berthe nunca usaram um livro de cozinha. Embora esta receita (adaptada do que eu vi e me lembro) seja boa, confesso que nunca provei nada igual aos deliciosos pãezinhos da tia Berthe. Se quiser, pode substituir as sementes de papoula por cominho, mais uma receita variada da Alsácia.

INGREDIENTES

1 ovo
1 colher (sopa) de água
1 1/3 de xícara de iogurte natural (se comprar, certifique-se de que não tem açúcar nem aditivos)
4 colheres (sopa) de azeite de oliva
2 ½ xícaras de farinha de trigo sem peneirar
2 colheres (sopa) de açúcar
1 colher (chá) de sal
1 colher (sopa) de fermento em pó
1 colher (chá) de sementes de papoula

1. Misture ovo e água. Reserve.
2. Bata o iogurte e o azeite de oliva até obter uma consistência suave. Peneire a farinha, o açúcar, o sal e o fermento em pó. Faça um buraco e coloque a mistura iogurte-azeite no centro. Use seus dedos, misture bem até a massa ficar homogênea. Trabalhe a massa até que ela não grude mais e fique com uma consistência macia.
3. Preaqueça o forno em 200°. Faça 12 pãezinhos e ponha em uma assadeira. Pincele com a mistura ovo-água e salpique os grãos de papoula. Usando uma faca afiada, faça uma cruz no alto de cada pãozinho. Asse em forno preaquecido durante 30 minutos ou até eles ficarem dourados. Eles são gostosos quentes, mas é claro que pode servi-los em temperatura ambiente, depois que esfriarem.

PÃO NOS RESTAURANTES

Embora não goste de jantar tarde, em razão dos padrões americanos, freqüentemente faço isso. Geralmente, vou jantar depois das 20 ou 20:30 horas quando estou nos Estados Unidos. Na França, um verdadeiro restaurante (ao contrário de um bistrô, brasserie ou outro lugar para turistas) nem aceita reservas para antes das 20 horas e a maioria dos franceses não chega antes das 21 horas. (Na verdade, isso não é nada: na Espanha e na América do Sul, eles sentam às 23 horas.) Mas, tendo começado o dia às 7 da manhã, estou sempre necessitando psicológica e fisicamente de alguma coisa antes do jantar. Então, precisei treinar para me limitar a uma taça de champanhe ou de água para esperar até o jantar ser servido. Dei-me conta de que precisava comer imediatamente uma ou duas fatias de pão, pelo menos nos restaurantes. Conforme já mencionei, identifico o pão antes do jantar como um problema, isso bem depois dos meus dias com Dr. Milagre. Reconhecer um agressor adquirido (eles podem aparecer em qualquer ponto) foi importante: cortar foi simples e produziu resultados. Subtrair 12 das 15 desnecessárias fatias de pão por semana vai abençoá-la com espaço para mais indulgências conscientes.

10

ANDAR COMO UMA FRANCESA

A grande escritora Colette foi a primeira mulher francesa a fazer exercícios no sentido americano. Levantava-se todas as manhãs e ia para o seu "ginásio", uma coleção de aparelhos antiquados, que levava até nas viagens. Para a maioria das francesas, no entanto, a idéia é pouco atraente. Enquanto exercitar-se fisicamente é essencial para o ideal de Montaigne, de corpo são em mente sã, vestir-se para ficar suando não combina com ser francesa. Em parte, tudo parece um esforço sem alegria; cortar duas horas do seu precioso dia – a viagem, a troca de roupa, o aprendizado para usar os aparelhos, esperar para usá-los, tomar banho de chuveiro, secar o cabelo etc. e tal. "E ainda tem que pagar por isso!", como resmunga minha amiga Sylvie. Então, apesar de seguramente achar esses últimos modelos de aparelhos em um bom hotel francês, saiba que estão lá como uma concessão para agradar os turistas e homens de negócios. Para uma francesa, é tão estranho usá-los como ser vista correndo nos jardins do Luxemburgo ou nas Tulherias.

Estranho, mas encantador também, porque o que as mulheres francesas fazem, fazem-no porque querem. A verdade é que somos todas, no íntimo, *individualistes invétérées* (individualistas inveteradas), e desde o momento em que você está fazendo o que quer, tudo bem. Algumas francesas, embora não muitas, gostam de esporte: tênis e natação, ambos divertidos e excelentes. *Bem.* Se você gosta de correr no parque, *amuse-toi bien* (divirta-se). É só a idéia do exercício físico como sentença obrigatória que nos atinge de maneira errada. É a regra americana do "Não há bônus sem ônus" que rejeitamos.

Uma quantidade desproporcional de exercício, como algumas mulheres americanas praticam, pode ser contraprodutivo para os seus objetivos de perder peso. Enquanto oferecem pouco ou nenhum benefício para a saúde, comparando-se com esforços mais suaves, o superaquecimento do exercício físico pode, na verdade, levar ao derrotismo ("Eu desisto") e até a um comer mais vigoroso. Na verdade, muitas mulheres que conheço e que se exercitam acabam com um apetite enorme só para alimentar seus corpos. Estas se tornam ratos em um armazém. É óbvio que alguém está tramando contra: basta olhar todo tipo de alimentos agressores estocados nas lanchonetes das academias esperando por estas mulheres inocentes depois de suas duas horas de malhação: sucos de frutas açucarados, bolinhos, barras com alta proteína. Você pode cancelar toda a sua rotina antes mesmo de passar pela porta! As mulheres francesas sabem que qualquer regime que não possa ser mantido por muito tempo está fadado a falhar, assim como sabem que o inimigo é o tédio, e não a comida.

As americanas parecem ter dois modelos: sentar ou malhar. As francesas preferem as variedades mais suaves, mais regulares, do movimento diário – que "queima lentamente", como dizem os americanos. E como podem imaginar, nossa aproximação, fiel ao princípio cartesiano, pede que você use a sua mente como usa o seu corpo. Exercício sem concentração é quase tão ruim quanto comer sem concentração. Lutamos para diversificar o movimento físico em nossas vidas e praticá-lo como uma segunda natureza. Enquanto isso, cultivamos a qualidade de estar atentas.

As francesas vêem os esforços como parte integral do seu dia. Desejo encorajá-la a olhar para os movimentos diários – o que você faz com roupas de sair – como sendo essencial para a sua conscientização e não vendo os esforços como algo ligado às academias. Pode ser que signifique uns passos extras no corredor ou não usar o correio interno do escritório. Ou pode significar ir de bicicleta para o trabalho ou passar sua roupa . O principal é praticar tantos esforços físicos, durante tantos momentos do dia, quanto puder. Esta é a maneira mais segura de superar os obstáculos mentais que a idéia dos exercícios regulares apresenta para algumas de nós. Tire proveito dos exercícios sem os aborrecimentos inerentes a eles. Acredita-se que, por ter que trabalhar no escritório, não lhe sobre tempo para essas coisas. Você devia dar-se conta de que o estresse e o cansaço na vida moderna têm muito mais a ver com a falta de esforço do que com esforço demais.

A PÉ

Aqui vai uma história que você talvez não tenha ouvido sobre os suíços antes. São os maiores produtores e consumidores de chocolate do mundo – mais de dez quilos por ano por pessoa – e, no entanto, não estão no alto da escala olímpica dos ganhadores de peso. Por quê? Porque metade do trabalho é feito a pé ou de bicicleta. Os americanos, em média, trafegam com suas próprias forças menos de 10% do tempo. Nós, franceses, temos uma declarada semelhança com os suíços, exceto nos domínios do chocolate e das caminhadas, onde somos mais do que praticantes respeitáveis.

Sempre que estamos na França por uma semana ou mais, meu marido fica espantado como nós dois perdemos um ou dois quilos, mesmo parecendo que comemos mais. Este é o truque. Nós caminhamos *um bocado.*

Caminhar é uma parte essencial da maneira francesa de viver e a média das mulheres francesas caminha três vezes mais do que a média das mulheres americanas. Para a parte debaixo do seu corpo, não pode haver exercício melhor: você trabalha suas pernas de alto a baixo e as nádegas, principalmente se seus passos forem largos. E os benefícios cardiovasculares de andar rápido mostram-se tão bons quanto os de correr, além de não colocar suas articulações em perigo.

Insisto para que aumente suas caminhadas de duas maneiras:

Primeira: Acrescente ao seu dia caminhadas regulares "dedicadas". Não falo de marchas de matar, só algumas voltas. Comece com pequenas extensões, se quiser, depois faça caminhadas maiores a cada dia. Pode ser caminhar para o trabalho ou parte do percurso, ou por vinte minutos depois do jantar (bom para a digestão e para os gases). Aumentar três horas de caminhada à sua semana é uma maneira menos dolorosa e mais segura de perder peso. Quando perceber que está funcionando, isso vai fazer com que automaticamente comece a andar mais. Onde quer que eu esteja, começo a maioria dos meus dias com uma caminhada de vinte minutos antes do café-da-manhã.

Segunda: Procure maneiras de aumentar o tempo do seu passeio "casual". Isto quer dizer resistir ao impulso americano de economizar um passo. Nós, francesas, não somos tão espertas em encontrar atalhos como as americanas são. Talvez seja por isso que não somos mais tão poderosas, mas, em compensação, nós não somos gordas. Na vida, acreditamos que a jornada é o destino. Se você não é tão filosófica, lembre-se simplesmente: o tempo economizado é igual às calorias não-queimadas. Dê uma pequena volta enquanto espera por alguém (Como dizemos, *faire les cent pas*, literalmente, "ande cem passos").

Em oposição à sabedoria popular, caminhar não é tão simples quanto mascar chiclete. Qualquer atividade física deve ser feita concentrando-se, tendo em vista o equilíbrio e a harmonia. Então, qual é a melhor maneira de caminhar? Evite andar por ruas congestionadas, evite carregar coisas pesadas. (Mesmo que ache que consegue levar aquela mala, o peso dela vai criar um incentivo subconsciente para evitar andar da próxima vez.) Salto do tipo agulha não é uma boa idéia, mas também não precisa usar espalhafatosos tênis. As francesas usam sapatilhas, mocassins ou sapatos de sola de borracha amarrados em cima, que são apresentáveis em qualquer lugar. Parques da cidade e estradas sem tráfego no campo são ótimos lugares para caminhar, mas até os shoppings com ar-condicionado também resolvem, se onde você estiver não for possível ficar ao ar livre. Conheço uma senhora de 88 anos que mora no subúrbio e, durante todo o inverno, passeia diariamente em um enorme supermercado. Cada qual a seu jeito. Naturalmente, cidade ou campo, provavelmente você vai saber quais são suas caminhadas favoritas, apenas prestando um pouco de atenção. Algumas pessoas gostam da natureza, outras, de observar gente. Descubra o que mais atrai você.

Os aspectos mais importantes da caminhada são a postura e a respiração. É vital manter a cabeça ereta e as costas retas, queixo para cima, como se sua atenção estivesse fixada em algum ponto na distância ou procurando um amante entre as brumas de uma estação de trem. Mas cuidado onde pisa também. (Conheço pessoas que encontraram um monte de moedas na rua apenas olhando para baixo de vez em quando.) Solte seus ombros, depois jogue-os para trás (como se estivesse estufando seu peito), de tal modo que possa imaginar um pequeno riacho correndo por suas costas entre as costelas, e tenha em mente mantê-los nesta posição. Depois de um certo tempo, isso se torna automático. Má postura ao caminhar vai denunciar-se por uma dor no pescoço e na coluna.

Inspire e expire profunda e lentamente; concentrar-se na respiração vai melhorar o valor meditativo da sua caminhada. Assim como na alimentação, uma plena consciência aumenta o estímulo total da experiência, e estímulo quer dizer satisfação. Seu modo de andar também é importante. Use os braços, e não caminhe apenas na sola do pé; use o calcanhar e a ponta dos pés. *Sempre* leve uma garrafa de água para beber. Você verá que não precisou fazer muito esforço.

Nos dias de semana, durante meus primeiros anos de estudante em Paris, costumava andar entre a Torre Eiffel e a Sorbonne por ruas diferentes, tanto na ida quanto na volta (evitando as lojas de doces enquanto foi necessário). Nos fins de semana, minha companheira de quarto e eu, ambas garotas provincianas descobrindo Paris com olhos arregalados, passávamos os sábados caminhando pelos diferentes bairros ou jardins ou pelas margens do rio Sena. Muitas vezes, devemos ter andado de seis a oito milhas, parando apenas para almoçar e para um sorvete às cinco da tarde – a pequena recompensa semanal – no famoso Bertignon, na Ilha St. Louis. No fim das contas, conhecíamos a cidade melhor do que a maioria dos parisienses.

Para mim, caminhar é o melhor momento para libertar meu pensamento. É quando sinto as tensões liberadas e uma sensação de *bien-être* (bem-estar), na medida em que o passeio da mente segue o do corpo. Podem ser uma maneira especial de indulgência estes momentos em que nos conscientizamos de que realmente existimos, à medida que somem todas as imagens, informações e outras sensações que o mundo tenta impor-nos. Aprender a ficar à vontade em um espaço onde apenas você é importante requer prática. Mas, fazendo isso, diminui o impulso de mentir para si mesma ou fugir. Não é isso que você vai querer.

SUBINDO?

Não podemos esquecer a terceira dimensão do movimento terrestre.

Sempre me espanta ver pessoas que moram abaixo do quarto andar pegarem elevador. Na França, subir e descer escadas são movimentos que fazem parte do dia de todos. A não ser que tenha muito para carregar, não deve nem pensar em pegar o elevador para dois lances de escada. Muitas vezes, não temos nem escolha, como em Paris, que é cheia de prédios antigos sem elevador.

Naturalmente, ninguém sobe escadas por uma hora em um dia normal, mas pense nisso: o corpo gasta cerca de 60 calorias por hora dormindo e, se você nadar, na melhor das hipóteses, vai perder 430 calorias; mas subir escadas consome espantosas 1.100 calorias por hora. *Vive l'escalier!* (Viva a escada!)

No meu terceiro ano como estudante em Paris, tive a sorte de ser contratada para tomar conta do apartamento de uma pintora que passava a maior parte do tempo na encantadora cidade sulista de Collioure. Ela me ofereceu um quarto, mas eu tinha total liberdade de usufruir todo o enorme apartamento. A vista era excelente, especialmente para a Sorbonne e para a linda Praça Painlevé (cujo nome significa "Pão de Levedo"), que fica próximo ao precioso Museu Cluny de Arte Medieval. Era uma localização fantástica, onde o Quinto Arrondissement (Quartier Latin) encontra o Sexto (St. Germain-des-Près). Só havia um inconveniente: tinha que subir seis andares.

Quando mudei, já tinha perdido o peso que ganhara como estudante de intercâmbio, mas, se não tivesse, isso teria sido um grande problema para meu emprego: comecei a perder peso mesmo sem querer, principalmente durante o período de exames de maio-junho, quando subia e descia o dia todo; para baixo, para estudar na pequena Praça Painlevé, depois para cima, para almoçar ou ir ao banheiro ou pegar um livro para estudar ou uma agenda para a aula que ficava na esquina. Eu subia e descia 89 degraus (contá-los tornou-se uma brincadeira particular), seis ou oito vezes por dia. No começo do verão, estava dançando dentro das roupas (apesar das doses diárias de pão e chocolate e muitas refeições em restaurantes com amigas) e, quando coloquei o meu biquíni em julho, a mudança do corpo, cortesia de *le grand escalier* (a grande escada), foi um impacto. Pernas e nádegas melhores, um treinador não poderia ter conseguido. Foi quando fiquei viciada em escadas e agora tento encontrá-las tão religiosamente quanto a maioria das americanas que conheço as evita.

Quando mudei para Nova York, fomos morar no quarto andar de um prédio de pedras de cor marrom, em West Village. Jamais esquecerei que, quando abria a porta para os nossos primeiros convidados, cada um deles, independentemente da idade, estava totalmente sem ar por causa dos três andares. Atualmente, moramos no décimo quinto andar, em um edifício de quinze pavimentos (com elevador, *bien sûr*), portanto ninguém precisa subir escadas para nos visitar. Mas, como meus vizinhos, perplexos, podem atestar, diversas vezes na semana posso ser vista subindo e descendo os degraus (125 – ainda conto) *sans problème* (sem problema). O blackout de 2003 foi uma ocasião reveladora para mim. Passava por pessoas exaustas, entre 25 e 40 anos de idade, que haviam parado para descansar no sexto, no oitavo ou no décimo andar. Nosso edifício, apresso-me a explicar, tem uma academia para os moradores. Outro caso dos amantes da boa forma esperando pelos resultados.

Espanta-me este paradoxo americano: uma nação com tantos grandes atletas, uma fascinação por esportes e uma incrível mania pela tecnologia de exercícios e, de certa forma, evita o caminho para a boa forma, que seria fácil e sem heroísmo. Algumas vezes, chego a acreditar que todos esses aparelhos são um vestígio do Puritanismo: instrumentos de autoflagelação pública para compensar os pecados privados de andar de carro e comer demais. Felizmente, as francesas não sofrem desses extremos do bem e do mal. O bem-estar é uma área cinza de equilíbrio.

Simples como possa parecer, adicionar alguns passos pode não ser possível para você por alguma razão contrária aos conselhos do seu médico. (Sempre consulte seu médico antes, quando se trata de exercício.) Neste caso, há outras maneiras de aumentar a queima de calorias *quotidiennes* (cotidianas), que também podem dar certo. Assim como na alimentação, é uma maneira de compensação e um bom lugar para procurar é no âmbito da assim chamada conveniência moderna. Muitas coisas destinadas a tornar a vida mais fácil, do controle remoto aos lençóis que não precisam ser passados a ferro, na realidade apenas tornaram-nos mais sedentárias. Os estudos mostram que os

Amish têm muito menos probabilidade de engordar do que os outros americanos. Se você parar de considerar os trabalhos repetitivos como sendo forçados e, em vez disso, encará-los como uma forma meditativa de esforço leve, isso vai ajudar muito na perda de peso e nos sintomas do bem-estar. Novamente, escolha alguma coisa que goste de fazer. Limpar a casa, acredite ou não, pode melhorar seu humor. Representa uma missão cumprida, uma espécie de simples satisfação em um mundo onde nossas tarefas são mais e mais complexas e os projetos se arrastam por semanas.

Não fique desapontada pela tendência americana de achar que estes exercícios caseiros sejam estritamente para pessoas muito velhas ou fracas demais. Mulheres de todas as idades podem se beneficiar enormemente com um esforço mais rotineiro. Lembre-se também que você sempre pode aumentar ou diminuir os esforços, dependendo dos resultados que obtiver. Ser uma mulher francesa requer uma boa e contínua sincronização. Pratique e, em breve, não vai precisar pensar duas vezes.

MOVIMENTOS FÁCEIS E EXERCÍCIOS

Não tenho saudades da era de dias inteiros de trabalhos exaustivos na fazenda francesa, mas realmente acredito que fomos longe demais desenvolvendo um estilo de vida menos físico. Muitas vezes, o tempo economizado é gasto falando sobre trabalho e família e lamentando a conseqüência dos nossos erros.

O cuidadoso esforço rotineiro pode fazer-lhe muito bem na meia-idade, mas, à medida que a mulher envelhece, há um enfraquecimento natural dos músculos e ossos, e pode ter que precisar de um tratamento especial de fortalecimento. Colette, que se exercitava loucamente, parece que queimou tudo muito cedo e, na velhice, não ficou muito bem e mal podia andar sozinha. Pequenos pesos leves de um a dois quilos, usados em exercícios simples e comuns, são uma boa maneira de se preservar a parte de cima do tônus e a densidade óssea, além de suplementar os benefícios cardiovasculares de um ativo estilo de vida. À medida que envelhecemos, é bom também para o nosso abdômen alguns exercícios logo pela manhã – nunca é cedo demais para começar a fazê-los, pois são músculos que seguram os órgãos vitais no devido lugar, além de contribuir para a boa postura.

Você pode incorporar movimentos simples de resistência na sua rotina diária antes mesmo de sair de casa. Depois do seu banho, por exemplo, tente secar os dedos dos pés com uma toalha, mantendo as pernas esticadas. Enquanto espera no seu carro ou no metrô, contraia seu abdômen por vinte segundos, as costas contra o encosto da cadeira (melhor do que se aborrecer com a demora). Use o próprio peso do seu corpo como resistência, sempre que possível: exercícios isométricos, discretos, porém eficientes, fazem bem o tipo francês. Quando for ler uma revista em casa, tente sentar-se no chão com suas pernas esticadas e abertas em V, com as mãos de cada lado; é um bom alongamento para os músculos da coxa. No trabalho, levante-se da sua mesa periodicamente (as pessoas se espantam ao ver um diretor tirando sua própria cópia, mas, para mim, é uma desculpa para andar até o fim do corredor e esticar-me). Você entendeu. O segredo é aumentar o gasto de energia diária. Acrescente alguns movimentos aos normais durante todo o dia. Não economize seus passos; multiplique-os. Pequenas mudanças são sempre mais fáceis do que as grandes, mas elas somam. Veja os efeitos a longo prazo: queimar apenas umas 50 calorias extras por dia através de *les petites choses* (pequenas coisas) equivale a alguns quilos de gordura por ano. *Faites simple* (faça de maneira fácil) e você nunca vai dizer: "Desisto!"

À BOUT DE SOUFFLE (SEM FÔLEGO)

No fim das contas, todos os movimentos dependem de uma respiração apropriada, o único movimento que fazemos mais do que qualquer outro 22 mil vezes por dia. Precisamos de algumas calorias para mover 15 quilos de ar a cada dia, como fazemos. A falta de respiração vai impedir seu progresso e evitar a eficiente queima do combustível do corpo. Entretanto, respirar compassado, com plena consciência, promove um relacionamento balanceado e apreciativo para a comida. Você pode pensar que sabe respirar muito bem; mas é melhor aprender a fazê-lo melhor ainda.

Foi o que eu disse a um grupo de mulheres na abertura de um seminário de negócios durante três dias em São Francisco, há dez anos. Mostrei-lhes algumas técnicas que aprendi com um instrutor em Paris. Não me preocupei se nunca fossem tentar fazê-las novamente. O ponto é que ninguém deve passar pela vida sem pensar pelo menos uma vez sobre o profundo significado de respirar. E se continuar a pensar nisso, pode aproveitar o mecanismo mais discreto e portátil que temos para restabelecer o elo mente-corpo, tão terrivelmente afetado por nossas vidas tão corridas.

Respirar conscientemente é a forma mais fácil de meditação e a parte mais básica da ioga, a qual recomendo para quem gosta de tentar coisas novas. Esse tipo de respiração desconecta o comer do nosso equipamento de estresse, causa principal de comer e beber demais. Também melhora nossa energia geral, liberando energia em cada célula do corpo. Respirar é o principal processo do metabolismo.

Pratico movimentos respiratórios no metrô (não muito intensamente aí), no avião, deitada na cama, sentada à minha mesa de trabalho, mas também como parte da minha rotina caseira – de qualquer maneira, sempre que tenho que respirar. Parte do encantamento é aproveitar o momento. Respirar é o maior estímulo do momento presente. Pense em fazê-lo e esqueça o passado e o futuro. Você está no "aqui e agora". Esta é a mais importante zona da dieta.

Tente estes exercícios básicos

1º Passo: Ritmo e consciência

Feche os olhos. Coloque a mão no estômago e note a sua respiração. Sinta sua mão erguer-se devagar a cada nova inspiração; sinta-a descer a cada expiração. Focalize este movimento de subir e descer por 12 vezes.

2º Passo: Contagem para dormir

Comece com o movimento do primeiro passo até que esteja acostumada com o ritmo. À medida que inspira, diga para si mesma "doze", depois expire. Com a nova respiração, diga "onze", expire. Continue até chegar a zero. Não se apresse; devagar é excelente. Repita por alguns minutos... ou até dormir.

3º Passo: Desacelerar para dormir

Agora, quando você inspirar, conte até 6 para si mesma e, quando expirar, conte até 9. Enquanto fizer isso, limpe sua mente de qualquer pensamento e concentre-se unicamente na sua respiração. Bastam algumas repetições de profundas respirações até sentir-se relaxada e vai dormir.

4º Passo: Respiração em ondas

A digestão depende do sistema autônomo, que explica a influência que nossas emoções têm na função gástrica; portanto, é essencial respirar bem para comer mais devagar e dar ao cérebro o tempo necessário para registrar a saciedade. Esta onda será praticada com mais eficácia quando estiver, ou pensar que estiver com fome, e antes das refeições.

Em pé, sentada ou deitada de barriga para cima, coloque uma das mãos no estômago e a outra mais acima, no meio do peito, com o punho abaixo dos seios. Inspire e encha o peito enquanto empurra um pouco o abdômen, expire e distenda seu abdômen enquanto fizer uma ligeira pressão no peito. Repita 24 vezes, depois volte à respiração normal, antes de retomar seja o que for que estava fazendo.

5º Passo: Respiração alternada pelas narinas

Um pouco estranho, mas concorde comigo – francês é uma língua muito nasal. Em pé ou sentada, expire pelas duas narinas. A seguir, feche a narina direita com o polegar direito e respire pelo lado esquerdo. Feche a narina esquerda com o dedo indicador (ambas as narinas agora estão apertadas) e prenda a respiração. Solte o polegar e expire pela narina direita, inspire novamente pela narina direita. Prenda e novamente feche a narina com o polegar direito, solte o dedo indicador e expire pelo lado esquerdo. Isso completa uma etapa. Repita-a seis vezes. Conte até 6 para cada vez que prender a respiração, inspirando, expirando.

6º Passo: Bocejar

Na verdade, aprendi isso quando mudei pela primeira vez para Nova York e estava estudando dança moderna como um hobby. Não era uma grande bailarina, mas era mestra em bocejar e posso fazê-lo sem parar, um atrás do outro, sem a menor dificuldade. Antes dessa aula, nunca soube que bocejar alivia o estresse, acalma e até faz dormir se o ato for repetido, o que às vezes acontecia no final da aula, quando ficávamos deitadas praticando esta arte. O fato de bocejar realmente permite uma quantidade maior de oxigênio do que o normal para dentro dos seus pulmões, o que revitaliza o fluxo do sangue. Até o som de um bom bocejo ajuda a diminuir a tensão. Para bocejar, você tem que inspirar profundamente e abrir a boca ao máximo. Depois de duas ou três tentativas, a resposta do bocejo natural é acionada e pode continuar indefinidamente.

DORMEZ-VOUS? (VOCÊ ESTÁ DORMINDO?)

A pergunta não é apenas para Frère Jacques. O sono é o estado mais negligenciado da vida americana. Achamos que podemos aparar as arestas, esforçar-nos ao limite máximo. O sono tornou-se até sujeito ao cálculo do bem e do mal, com a eficiência atribuída a quem conseguir com menos. Isso é bobagem. Nada mais, exceto respirar e beber água, é tão imprescindível para o nosso bem-estar como dormir. E há uma conexão ainda não-provada entre dormir pouco e ganhar peso.

Proust começou sua obra-prima com uma lenta e agonizante descida para o sono. Pensou e comentou muito sobre ele, como nós, franceses, fazemos com a maioria das coisas. Bem, embora não queiramos encorajar tal performance de ansiedade, dormir deve ser algo bem caprichado. Há uma arte nisso também. Mas assim como outros prazeres – e o bom sono é um dos mais básicos –, o respeito pela individualidade é soberano, porque nenhum de nós tem os mesmos requisitos ou padrões.

Quando vivíamos e trabalhávamos de acordo com o sol e as estações, adormecer era mais fácil e nosso relógio interno (ritmos circadianos), em compasso datado, ajustava-se sem errar aos dias mais curtos ou mais longos. Hoje em dia, cada um de nós segue seu próprio relógio, muitas vezes vivendo com muito pouco sono. Ao mesmo tempo, há uma epidemia de insônia, gerando uma onda correspondente de remédios farmacêuticos. Estamos sendo constantemente avisados do montante nacional de "débito de sono" que a pesquisa já demonstrou que aumenta a resistência de insulina e detona a liberação de hormônios de estresse. É um círculo vicioso, pois as respostas do corpo para a privação de sono podem tornar mais difícil conseguir dormir. A falta de sono também nos torna desatentos, o que nos encoraja a comer demais (a comida como o meio mais óbvio para alcançar um novo vigor). Quando nos sentimos assim, temos a tendência de procurar apoio em alimentos que tenham muita energia. E, claro, a falta de sono interfere nos mecanismos mentais que registram o prazer. O sucesso de uma experiência depende de um alerta sensorial. Considere uma boa noite de sono vital para comer adequadamente e ter um bom equilíbrio.

Há rituais que podem promover um bom descanso noturno. Para mim, uma tisana é essencial. Mas água, em qualquer forma, pode ajudar porque a desidratação sempre prejudica a qualidade de nosso sono. Por esta razão, álcool justo na hora de dormir não é bom e, em pequenas doses, é sabido que tem um "efeito paradoxal" de ser estimulante. (Nós, franceses, apenas *parecemos* ter o monopólio sobre o paradoxo.)

Quanto ao ambiente, olhe ao redor do seu quarto: não precisa ser mestre em Feng Shui para fazer melhorias. Luz suave, que promove sonolência, pode ajudar muito. Em Provence, no verão, o perfume de lavanda no ar durante a noite ajuda naturalmente o sono. Sempre lembro dos maravilhosos campos de lavanda da Abadia de Sénanque, perto de Gordes, em Vaucluse. O olor é incrivelmente soporífero e podemos apreciá-lo nas variedades recentemente colhidas ou quando queimamos um pouco do óleo da planta. Luís XIV exigia a presença de todos os seus camareiros no quarto de dormir não apenas para seu *coucher* (ritual de dormir), mas também para seu *lever* (hora de acordar). Você não precisa de audiência para praticar as rotinas que vão dizer ao seu corpo que a hora de adormecer se aproxima.

Tente ir para a cama relaxada. Nós, franceses, gostamos de comer tarde, mas não vamos para a cama sem ter feito a digestão. Isso pode significar comer pouco à noite (quando os carboidratos representam uma boa idéia) com um copo de vinho (um relaxante, se usado com moderação e com alimentos). Melhor ainda é comer um iogurte na hora de deitar, a fim de neutralizar o ocasional *coup de faim* (ataque de fome). Não se deve comer muito tarde ou comer cedo demais e ir dormir com o estômago cheio. Uma respiração controlada é outra maneira de preparar seu corpo. O exercício de bocejar é muito bom. Também não negligencie a temperatura do quarto; até no inverno deve ser fresco, 16° no máximo. Exceto quando estiver nevando, a janela deve estar meio aberta, para entrar ar fresco.

É importante pegar o ônibus quando ele ainda está no ponto. Se você ignorar os sinais de sono, pode precisar de outras duas horas para sentir sono novamente. É uma boa idéia dormir e acordar na mesma hora todos os dias. O ritual de dormir até o meio-dia nos domingos para se "recuperar" se baseia em um engano. A alimentação pode ser organizada em calendários semanais, o sono não. O melhor é dormir de dez a vinte minutos durante o dia (evite a longa sesta de duas horas, pois ela vai interferir em seu ritmo de sono). Finalmente, lembre-se de moderação. Apesar de a necessidade variar de uma pessoa para outra, pode não ser saudável dormir menos de seis e mais de oito horas. Embora sejam poucos os que dormem demais, é possível também abusar dessa coisa boa. Mas seu corpo não vai descansar suficientemente se lhe for dado tempo demais *au lit* (na cama).

POSTURA

Um pequeno item sobre postura. O peso está relacionado com a altura, ou pelo menos assim pensamos. As francesas aprendem a manter o queixo para cima e têm uma boa postura (basta imaginar que você tem uma corda ou um arame amarrado no centro de sua cabeça, puxando-a para cima). Não sei por que razão, mas apenas as garotas recebiam o aviso de *tiens-toi droite* (endireite as costas), quando estávamos crescendo. Lembro-me de uma que ficava tão ereta no colégio que perguntamos o que andava fazendo. Contou-nos que sua mãe colocava uma régua nos seus ombros, para forçá-la a memorizar a postura correta. Quando eu estava crescendo, aprendemos a ter boa postura na aula de balé. Nenhuma de nós tornou-se bailarina, mas as poucas aulas adiantaram. E nossa professora de ginástica sempre dizia que, como as francesas eram uma raça de baixa estatura, enganar para parecer *quelques centimètres plus grandes* (alguns centímetros mais alta) não era crime. Então, quando sinto que estou arqueada, lembro-me da professora de ginástica e corrijo a postura na mesma hora. E sinto-me mais alta.

11

ETAPAS DE DESEJO

A mente é a principal defesa da mulher francesa para não engordar, e os sentidos são, naturalmente, os portais da mente. Por meio deles, entramos em contato com o mundo – seus sabores, suas texturas, seus sons e seus cheiros. Todos praticamos uma pequena forma de "ioga" com nossos sentidos. Concentramo-nos neles assim como nos concentramos em nossa respiração. Dessa maneira, tiramos o melhor partido de nossa experiência, incluindo o que comemos. Contentamento deste tipo é algo que você constrói por si mesma. É a essência de *l'art de vivre* (arte de viver), que é como nós, franceses, buscamos a *joie de vivre* (alegria de viver). Embora esta busca nos torne alvo, às vezes, de deboche, por sermos "muito burgueses", na realidade nossa busca por prazer tem pouco a ver com o status social. As próximas férias significam bem mais para nós do que um carro novo; e nunca sacrificaríamos as primeiras pelo último, a não ser em caso de extrema necessidade. Todos os dias, desejamos ser e sentir, em lugar de ter.

Qualquer um que tenha os cinco sentidos humanos pode alcançar vários benefícios se aguçá-los. Andar na praia, tocar em um bichinho de estimação, chupar uma laranja, pegar e cheirar um pedaço de madeira – tudo isso são experiências sensoriais das quais ficamos mais conscientes por meio da prática. Concentre-se em cada atividade, aprimore seus próprios termos de descrição e, logo, cada momento seu será pleno. Você nunca deve esquecer que pequenas experiências produzem uma gama de emoções através da associação e da memória, as quais estão ligadas às nossas experiências de vida, à cultura e ao meio ambiente. A Madeleine, de Proust, toma incontáveis formas. Quanto mais consciente desses efeitos você ficar, mais poderá usufruir deles. E ficará cada vez melhor na arte de evitar os efeitos de emoções mais destrutivas.

As francesas procuram ter grande quantidade de *petits riens*, aqueles pequenos nadas de prazer diário, que, na verdade, são muito valiosos. Temos tantas palavras de carinho – *gâter* (mimar), *dorloter* (acariciar), *bichonner* (paparicar), *se chouchouter* (falar ao ouvido) –, mas não consideramos isso decadência. Faz com que aproveitemos mais a vida e cada momento, impedindo que procuremos consolo em outro prazer qualquer, como a comida. Quando nos negamos algo, não é para dar uma lição ao nosso ser ambicioso. (Autopunição nunca é o caminho para o bem-estar.) O único propósito de abster-nos de algum prazer é para que possamos gozar plenamente tudo mais, por ter sabido fazer um balanceamento correto.

Claro que não há coisa alguma que apreciemos tão freqüente e universalmente como a comida. Portanto, achamos muito estranha a maneira como as americanas associam comer com pecado e culpa. Uma francesa pode referir-se ao seu doce vespertino degustado no terraço de um café como seu *petit péché mignon* (pequenino pecado encantador), mas está sendo irônica – só na cabeça das francesas um pecado pode ser "pequenino" e "encantador"! A moralidade gastronômica americana, em contrapartida, é mortalmente séria. Como o charmoso anglo-francófilo – *algumas vezes* americano-francófilo – Peter Mayle escreve em *French Lessons*: "Poucas vezes uma semana termina sem algum terrível pronunciamento sobre o preço que temos que pagar por nossos breves momentos de indulgência." O problema, como ele sabiamente compreendia, não é comer um pouco de manteiga, beber um pouco de vinho e comer carne vermelha; o problema é abusar. Comer na América tornou-se um comportamento controverso, com todas as espécies de avisos "não-nutricionais", tanto sexuais, políticos, culturais e até clínicos. Nossos problemas com peso têm tanto a ver com nossas atitudes em relação aos alimentos quanto com o que estamos ingerindo.

Estamos vendo uma crescente psicose que, acredito, acrescenta estresse ao nosso meio de vida, por si só, já tão estressado. Está rapidamente apagando os valores simples do prazer. Sem uma mudança nacional de amor, temos poucas esperanças de reverter a maré da epidemia de obesidade.

O AMOR PELA COMIDA

Para os franceses, Colette foi muito feliz quando descreveu a mesa como um *rendez-vous d'amour et d'amitié* (um encontro de amor e de amizade). E não é apenas uma descrição puramente figurativa, porque costumamos ver nossos prazeres como sendo interconectados. Não podemos imaginar nada mais desagradável do que viver com alguém que não ligue para comida ou não goste de comer, nem de compartilhar refeições. Uma paixão vai de mãos dadas com a outra. Claro que é uma via de duas mãos. O ator Omar Sharif cativou uma geração de mulheres francesas e não foi apenas por sua beleza morena em *Dr. Jivago,* mas também por ter declarado que não poderia desejar uma mulher que não gostasse de comer. Certamente, as mulheres francesas, por mais bobas que possam ser para o tipo intelectual, não vão interessar-se por um homem que seja indiferente à sensualidade.

A sensualidade é vital para nossas idéias de sedução, e sedução tem lugar predominante no âmago da mulher francesa. Sempre soubemos que não é preciso ser uma grande beldade para seduzir, mas é necessário ser sensual. Uma modelo pode atrair o olhar de um homem, mas, se for uma mulher sem sensualidade, não vai prendê-lo por muito tempo. Estilo, um sentido de gosto e elegância podem valer muito, mas muita candidez e pureza comparam-se a uma ceia insatisfatória. Isso não quer dizer que as francesas não sejam atraídas por muitos falsos ideais de feminilidade apresentados em várias revistas; apenas não os levamos para o lado pessoal. Se alguém não se sente *bien dans sa peau* (feliz consigo mesmo), nunca poderá projetar aquele certo *état de grâce* (estado de graça). Isso é o que cada mulher deve aprender a alcançar e as francesas canalizam mais intuitivamente do que as demais. Por toda a atenção para o que está vestindo e para o que está comendo, define-se melhor a francesa pela facilidade em ser ela mesma e pela atração em buscar seus prazeres. Pouco tem a ver com estar pesando alguns quilos a mais. E você não vai conseguir isso evitando comer.

Au contraire, a refeição, por si mesma, em todo seu esplendor, vem sendo uma cena de sedução desde os grandes jantares na corte de Versailles. As francesas seduzem pela maneira como pedem e saboreiam a comida, com a cumplicidade sorrateira de roubar um sabor do outro prato ou cedendo ao amante um pedacinho cuidadosamente escolhido. E assim como certas formalidades à mesa podem aumentar o charme psíquico da comida, assim também a arrumação, a apresentação e o ambiente intensificam o astral de um jantar em boa companhia. Um prato surpresa ou um jantar não-planejado podem aguçar nossa curiosidade muito mais do que uma ceia amorosa rotineira. Sempre recomendo usar uma garrafa de champanhe como isca. Para os franceses, a atração sexual de comer é uma segunda natureza. Talvez seja por isso que tantos termos eróticos e meigos refiram-se à comida. Cresci ouvindo um repertório inteiro de apelidos carinhosos para os alimentos, como *mon petit canard* (meu patinho), *mon chou* (meu repolho), *ma tourterelle* (pombo), *ma caille* (codorna)...

UMA AMANTE DIVERTIDA

O sexo, por si só, é uma excelente fórmula de não-envelhecimento sem efeitos colaterais. Tem benefícios cardiovasculares e aumenta a produção de hormônios que diminuem o estresse e melhoram o humor. Bom humor é o estado certo no qual podemos apreciar todos os prazeres de maneira adequada, principalmente a comida. A correta moldura da mente é vital para a felicidade, diminuindo a ânsia por excesso. Porém, estar apaixonada é ainda melhor do que sexo. Gauguin, no Taiti, criou uma placa de madeira com os seguintes dizeres: *Soyez Amoureuse pour Être Heureuse* (Apaixone-se para ser Feliz). Não é uma receita ruim.

Talvez isso soe como uma daquelas prescrições "mais fácil falar do que fazer", rivalizando com "Coma direito e faça exercícios". No entanto, observo muitas mulheres que esquecem de encarar o amor como prazer. Relacionamentos e casamentos podem ser procurados com a mesma firme determinação que algumas têm por suas carreiras. (Existe até um livro recente sobre aplicar o treinamento MBA para encontrar um marido.) Romance não é uma ciência, e sim uma arte, em nada inferior à arte de comer bem. E precisa ser cultivada e refinada se desejar que um relacionamento ofereça recompensas que sejam plenas.

Amando, misturamos versatilidade com constância, o rijo e o macio, a excitação do glamour com o prazer do conforto – contrastes e surpresas que conservam o amor sempre atraente, assim como a comida. E não podemos descuidar de nossos investimentos, sempre tendo em mente a qualidade sobre a quantidade. O amor verdadeiro depende de conhecer alguém verdadeiramente, e conhecer bem alguém leva bastante tempo, geralmente uma vida inteira. Talvez seja por isso que as francesas são melhores do que quaisquer outras que conheço para preservar a chama e o mistério mesmo depois de dez, vinte ou mais anos de coabitação! Valem a pena o esforço e o dinheiro. Sempre recordo Louis Aragon, que disse, no meu poema de amor favorito: "*Il n'y a pas d'amour heureux/ Mais c'est notre amour à tous deux*", cuja tradução livre seria: "Não há amor feliz/ A não ser o nosso amor."

Nada promove a contínua espontaneidade do amor como o riso. As francesas sonham em encontrar *un amoureux rigolo* (um amante divertido que nos faça rir). A velha sabedoria, que diz que o riso mantém-nos jovens, encontra apoio empírico no fato de que uma criança de quatro anos ri cerca de quinhentas vezes por dia, enquanto o adulto, em média, ri apenas quinze vezes. Se for essa a sua idéia de ser adulta, então mantenha-se assim. A francesa compreende intuitivamente que alguém não ri porque está feliz; alguém está feliz porque ri. É um prazer ao mesmo tempo físico e psíquico: é relaxante, estimulante, livre e sensual. É uma resposta agradável à emoção que aumenta a própria emoção. O ato físico de rir estimula a produção dos hormônios que elevam astral, melhora a circulação do sangue e queima mais calorias do que ficar sentada melancolicamente. O riso é como os cogumelos: eles não se entregam a você – você é que tem que ir procurá-los, buscando o inesperado ou sendo totalmente maluca (*dingue* é a palavra que usamos), para manter a aventura de viver perigosamente. Seja na amizade, seja no romance, ninguém deve ficar sentada esperando ser procurada. Tome a iniciativa e marque um encontro com alguém cuja companhia agrade a você. Não permita que as ocupações da vida ou os brinquedos eletrônicos de comunicação sejam desculpas para um excesso de solidão – é um talento, mas um talento raro, ser capaz de conseguir rir.

Anos atrás, a mãe de Edward, que graças a Deus me adora, ficou muito aliviada quando finalmente ele declarou-se a mim. Ela já sabia, com toda a certeza, que ficaríamos juntos. Anos mais tarde, perguntou-lhe como tudo estava indo e ele respondeu: "Ela me faz rir." De fato, nas refeições festivas, eu gostava de fazer toda a família rir. Ao longo dos anos, sempre rimos muito e quando pergunto: "Ainda me ama?", ele sempre responde: "Enquanto você me fizer rir." Faço questão de assim continuar.

O Dr. Milagre foi o primeiro a dizer: "*Tout est une question d'attitude*" ("Tudo é uma questão de atitude"). O grande escritor provençal Marcel Pagnol acreditava que Deus deu o riso aos seres humanos como consolo por serem inteligentes. Prefiro acreditar que Deus nos deu inteligência para que pudéssemos apreciar uma boa risada.

12

ESTÁGIOS DA VIDA

Alcançar e manter o equilíbrio não são atitudes alcançadas por força de hereditariedade: é algo que cultivamos em nossa maneira de viver. A genética tem um papel importante, é claro, e o equilíbrio realmente parece fácil para algumas. Mas a aparência, muitas vezes, engana e mascara hábitos que não são saudáveis. Veja a modelo famosa que só come hambúrgueres e pizzas e, no entanto, não engorda um grama sequer. A genética pode estar protegendo-a – por enquanto – desse ataque (e dos olhares invejosos). Mas, da mesma forma, tal mulher pode, de fato, não estar tão bem quanto a outra que tem que prestar atenção ao que consome, como anda e assim por diante. A predisposição genética para ser esbelta não é, como já disse, distribuída sem proporção entre as mulheres francesas. Na verdade, muitas que parecem viver em um equilíbrio saudável estão lutando para isso. Mas essa luta tornou-se infinitamente mais fácil pelo condicionamento cultural e pela prática constante.

Infelizmente para todas as mulheres – veja "Vida, que injustiça" –, o equilíbrio que tanto lutamos para conseguir muda à medida que envelhecemos. Se não continuarmos a prestar atenção aos nossos corpos, o equilíbrio saudável vai-nos ser tirado. Mas nada de desespero: atenção e ajustes incrementados ao longo da vida são mais fáceis do que grandes correções depois de longos intervalos fora de forma. Estar alerta e tomar atitudes rápidas podem permitir que tenhamos uma longa vida de prazeres sem nunca engordar.

No entanto, às vezes acontece. Podemos estar comendo bem e ficarmos ativas durante anos, quando bum! – acidente de força maior. É a verdade para todos os humanos, mas principalmente para as mulheres, cujo peso e cuja silhueta podem ser radicalmente alterados por três importantes eventos psicológicos e fisiológicos, nos quais os hormônios desempenham papel de vilão: adolescência, gravidez e menopausa. Todos os três apresentam um sério potencial para um preocupante aumento de peso e é melhor planejar do que comer primeiro e perguntar depois.

Mas vamos começar pelo início.

DO NASCIMENTO AOS 7 ANOS

Embora este não possa ser confundido com um livro de cuidados infantis, o bom senso nos diz que os hábitos adquiridos na infância são os mais difíceis de mudar. Aproveite o último instante em que tem controle completo sobre o que seu filho consome. Enquanto somos crianças, desenvolvemos um sentido para o resto da vida do que é natural e agradável, e o adulto continua a procurar conforto nas mesmas fontes, sem se preocupar com o fato de não serem saudáveis. Não é necessário ler toda a coleção de Proust para se chegar a esta conclusão. O melhor presente que se pode dar a uma criança é uma atração condicionada para o que é bom para ela. Primeiro e mais importante: isso significa água.

Muito cuidado com a desidratação. O período crítico são os dois primeiros anos, principalmente os primeiros seis meses. O corpo de um bebê é de 65 a 80% de água (*versus* 60% para um adulto). Sem beber muita água, um bebê, principalmente se for mantido aquecido, pode desidratar em pouco tempo, mais ou menos três horas, um problema que ainda é exacerbado pelos problemas comuns de vômitos e diarréias. Quando uma criança recusa-se a beber água, dorme demais, fica mole e com um aspecto cinza, ou ainda respira depressa demais, é hora de adquirir hidratação oral por soro na farmácia. Não deixe que as coisas cheguem a esse ponto. Assegure-se de que seu filhinho esteja bem hidratado. A comida de um bebê é, geralmente, rica em água, mas o gosto por água não nasce automaticamente se limitar os líquidos de um bebê a sucos e leite. (Talvez a preferência por líquidos com calorias, em vez de água, tenha vindo daí.)

Comer bem é algo que precisa ser ensinado cedo, mas, como todos sabem, o paladar de um bebê não se desenvolve mais rápido do que seus dentes. Não tente começar cedo demais com sabores intensos. Quando a criança chega aos seis anos, então a mãe francesa começa a cultivar o bom gosto.

Principalmente no mundo ocidental, as crianças têm muitas tentações alimentares, comidas quimicamente processadas para enganar nossa programação evolucionária, levando-nos a acreditar que são boas. Pode ter que rebater o fogo com fogo, enganando as crianças para fazê-las comer o que é saudável, até que saibam apreciar por si mesmas. Os americanos parecem estar menos inclinados a fazer isso do que há cinqüenta anos: parecem acreditar que qualquer forma de enganar uma criança pode levá-la a um trauma. Isso é bobagem. Não há nada de errado em enganar crianças para que aprendam quais comidas são boas e quais não devem ser comidas em excesso. Invente jogos para tornar isso mais fácil. Quando eu era criança, meu pai vinha em casa para almoçar (como a maioria dos trabalhadores e as crianças em idade escolar faziam naqueles dias), e brincávamos de *pèle la pomme* – descasque a maçã. Como minha mãe não gostava das cascas, meu pai era encarregado de descascá-las, o que fazia com grande destreza, enquanto eu o observava e relatava os acontecimentos da manhã.

A nutrição deveria ser ensinada na escola, mas, muitas vezes, não o é e então torna-se mais difícil mudar hábitos enraizados por supermercados, cadeias de fast-food e virtualmente tudo o que está na televisão – na maior parte das vezes, estão vendendo alimentos que não são saudáveis, produtos "supostamente comíveis", um termo que uso para alertar. Poucos estão vendendo comida boa natural. Fiquei espantada quando era uma estudante de intercâmbio em Weston, Massachusetts, ao descobrir jantares congelados. Muitos deles até traziam rótulos explicando que eram "opções saudáveis". Uma refeição que pode ser ensacada, congelada e guardada não pode ser algo que alguém possa desejar – muito menos ensinar seus filhos a desejá-la.

Na França, onde a globalização já começou a precipitar uma onda de obesidade, anteriormente inimaginável, entre os jovens, um programa escolar de âmbito nacional para conscientizar sobre a nutrição foi implementado (um grande governo serve para alguma coisa). O fato de não haver muita variedade na televisão francesa também ajuda e a televisão não tem um papel importante junto às crianças francesas, poupando-as dos cerca de dez mil anúncios de comida que a criança americana vê anualmente. A comida na televisão faz-nos pensar em comer e põe água na nossa boca, liberando a insulina, diminuindo o açúcar no sangue e estimulando a ânsia por alimentos. É pornografia gastronômica.

Eis algumas regras básicas que seus filhos irão agradecer quando crescerem sem ficar gordos:

- Acostume seus filhos a beber água desde cedo (nada de sucos ou bebidas "tipo frutas" ou refrigerantes), quando estiverem com sede. Assim como acontece com os adultos, a sede é um indicador enganoso de hidratação correta, pois só acomete quando o tanque já está baixo demais. As crianças devem aprender a prestar atenção à urina. Se não estiver pálida e clara, é necessário beber mais água.
- Bem cedo é a hora de aprender o significado de três refeições por dia e porções sensatas – os olhos de uma criança com fome podem ser maiores do que a barriga, como costumamos dizer. Algumas crianças não suportam comer pela manhã, mas os franceses concordam com a maior parte dos especialistas que atestam que a atenção nas aulas e o aprendizado são muito mais marcantes depois de um bom café-da-manhã. Assegurar-se de que seus filhos comam em intervalos regulares vai reduzir a ameaça de eles comerem bobagens, o que geralmente significa alimentos sem valor, quando se deixa o jovem à própria sorte.
- Ensine às crianças os rituais de comer de maneira civilizada, dando um bom exemplo. Não coma em frente à televisão se quiserem que elas não façam isso. A refeição é um ritual: a conversa à mesa é uma arte – mesmo que tenha de brincar de *mange ta soupe* (tomar sopa), como nossa babá, Yvette, fazia.

- Exponha-os a uma maior variedade de legumes e frutas, mostrando como as coisas ficam boas na estação correta. Frutas e legumes sem graça não vão ganhar pontos nas preferências deles.
- Aprenda a dar prêmios. Não há nada de errado com o velho costume de recompensar quem come direito, sejam adultos ou crianças. Mas não use agressores como recompensa. E tente acostumá-los à tolerância de pouco açúcar. Uma sobremesa não precisa ser superdoce para ser gostosa. Tente *tarte aux fruits* (torta de frutas). A maior parte dos cereais para crianças tem mais açúcar do que um doce francês; evite-os como se fossem uma praga. Fico imaginando quantas crianças que agora precisam melhorar seu comportamento por meio de remédios não foram apenas viciadas em açúcar.
- Não estoque comidas ruins por simples conveniência. Mas tenha sempre alguma coisa para mordiscar. Crianças amam tangerina e uvas. Você sabia que funcho cru é um aperitivo excelente?
- Acostume-os a ver a preparação da comida – olhar, cheirar e provar ingredientes: o que está fazendo na cozinha não deve ser mistério. Leve-os ao mercado, jardins e fazendas onde possam colher frutas.
- Não seja uma mãe permissiva. O medo de que seus filhos não lhes tenham amor tem apavorado muitas americanas. Os franceses são mais tradicionais na educação infantil e aceitam que as crianças se beneficiam de críticas e regras.
- Mantenha seus filhos em movimento. Exceto aqueles que estão comprometidos com aulas de esportes e jogos de futebol; para muitos americanos, o esforço tem se reduzido aos jogos de computador, ótimos para coordenação de mãos e olhos, mas um pobre substituto para o verdadeiro exercício. Os jovens têm muito mais energia do que os adultos; sem exercícios próprios, o resultado poderá traduzir-se em problemas emocionais, incluindo comer demais. Na Europa, podemos ver crianças brincando na rua até a hora do jantar – como costumava ser na América, antes da epidemia de obesidade.

- Lembre-se: as crianças imitam os pais. Portanto, tenha boas maneiras e bons hábitos para o bem-estar de todos. Lembre-se também de que a prevenção em todas as coisas começa na infância.

DOS 7 AOS 17 ANOS

Acima de tudo, uma boa dose de cálcio é sumamente importante durante este período, quando 40 a 50% dos ossos definitivos estão sendo constituídos. Esteja alerta – muitas meninas evitam laticínios porque acham que engordam. É um grande erro.

Iogurte e queijo devem ser comidos regularmente. Agora é também o momento em que as meninas aprendem a gostar de café e refrigerantes, açúcar e cafeína, portanto ensine-lhes moderação.

Mais algumas "regras" e sugestões para os anos de formação, quando o peso pode tornar-se um problema pela primeira vez em nossas vidas:

- Hoje em dia, algumas adolescentes querem ser vegetarianas, o que traz vantagens e responsabilidades. Elas não devem ser desencorajadas, contanto que consumam proteínas, principalmente laticínios. Mas se seus filhos forem carnívoros, como a maior parte das crianças francesas, a hora é essa para estabelecer o princípio de que carne deve ser ingerida apenas duas a três vezes por semana. Ensine-lhes o prazer dos frutos do mar, em suas várias formas. Atualmente, as crianças gostam muito de sushi, o que não era opção no meu tempo.
- Ensine-os a cozinhar pratos simples – quanto mais cedo, melhor. A conexão na preparação de sua própria comida é a linha de vida da francesa para a vida saudável, assim como lavar a louça.
- Movimento. Não acredite nos programas atléticos do colégio como única forma de exercício. Metade da aula de ginástica pode ser gasta na marcação de presença e nos preparativos. Se sua filha for uma atleta, ótimo; mas, se não for, ficar sentada até a hora do jantar não é uma opção. Pequenos serviços caseiros, trabalho voluntário e muitas outras atividades formam o caráter e queimam calorias. Não dirija um hotel para seus filhos: faça com que consigam o que querem por conta própria.

- Este é o momento de crescer respeitando os recursos líquidos. Ingerir de oito a dez copos de água por dia pode ser uma idéia mais fácil de ser vendida quando você explicar os benefícios do controle de peso e de uma pele saudável. Eles vão precisar ainda mais se comerem no lanche coisas salgadas. Também recomendo aos pais que sejam eles os primeiros a servir álcool para as crianças (de preferência, na forma de vinho com água), ensinando-lhes um uso respeitoso. Não deve ser algo que precisem escamotear.

Em geral, os corpos que ainda estão em desenvolvimento precisam comer um pouco de tudo. Para uma perfeita nutrição, as crianças e os adolescentes devem realmente comer cerca de vinte diferentes tipos de alimentos por dia. Bem, temos que fazer o que podemos. Se houver dificuldade com carne ou peixe, há muitas maneiras de "enganar" o jovem, desde enrolar ameixas na vitela, ou escalopes de peru para esconder os legumes em uma omelete e servir peixe passados no ovo e cozidos em uma frigideira não-aderente. De vez em quando, faça uma permuta. Nas quartas-feiras, meus pais costumavam servir *biftek de cheval* (bife de cavalo), que eu detestava por razões sentimentais, embora a carne fosse muito gostosa. O prato era sempre seguido por uma pequena sobremesa surpresa. Então, eu comia meu cavalo.

O aumento da gordura no corpo que acompanha o adolescente geralmente decresce no meio do período dos sete aos dezessete anos. É a hora de qualquer mulher, francesa ou não, fazer uma consulta com o médico da família ou até com um ginecologista. Profissionais podem confirmar, com mais credibilidade, se um pequeno aumento de peso é natural e saudável. A função menstrual depende das reservas de gordura. Nas meninas magras, a puberdade, muitas vezes, é atrasada; em meninas não tão magras, pode ser precoce. Mas se realmente ocorrer algum problema de aumento de peso a medida mais importante a ser tomada é o sistema de três refeições por dia. Não há alternativa melhor para o bem-estar físico e mental neste momento. As meninas que tiveram as regras de ouro da nutrição apropriada programadas, estarão mais capazes de prover sua subsistência quando deixarem o ninho.

Para muitos, a casa dos vinte parece ser o tempo de infinitas possibilidades, embora, em retrospecto, a mulher sempre vá idealizar os seus trinta anos. O fim da adolescência e o início dos vinte anos são inevitavelmente uma transição difícil, como foram para mim: colégio, começo de carreira e até mesmo uma família. Este grande estresse chega bem no momento em que acabamos de exaurir a paciência de todo mundo com as angústias da juventude. Conheci inúmeras mulheres na faixa dos vinte sofrendo de problemas de peso porque ainda não haviam entrado nos hábitos adultos: comer, beber e caminhar. É particularmente doloroso vê-las sugadas por dietas insustentáveis – nas quais a fé na tecnologia, comum na mocidade de hoje, parece torná-las especialmente vulneráveis. Uma ciência um pouco vaga é uma coisa perigosa. Também há a tendência de querer resultados que coincidam com eventos sociais – em grande número e predominantemente para solteiros. Então, a idéia de cinco quilos a menos em duas semanas é extremamente sedutora. Tornando as coisas ainda piores, a maioria não aprendeu nada sobre cozinha. Se este é o seu caso, recomendo o Full Monty para a mulher francesa: um mês de inventário nutritivo, Sopa Mágica de Alho-Poró e uma transformação a curto e longo prazos. Agora, é a hora de levar a coisa a sério jogando fora as infantilidades.

A liberdade mais apreciada dos dezessete aos trinta e cinco anos pode também levar a excessos, tais como: refeições substanciais fora de casa (por motivo de negócios ou de conquista amorosa) e, principalmente, consumo excessivo de álcool. Para esse grupo os excessos alimentares tendem a acontecer depois das 20 horas, que é o pior horário para comer. É importante ter um apaziguador de fome para quando esta apertar antes do almoço ou do jantar, ou antes de dormir

Massa muscular e densidade óssea devem estar no seu auge, no entanto, ironicamente, agora é o tempo em que a maioria de nós cai em um destrutivo e sedentário estilo de vida, alimentado pelo fato de que, pela primeira vez em nossas vidas, mais e mais empregos requerem que fiquemos sentadas o dia inteiro diante de uma mesa de trabalho. Quanto mais cedo você aprender a abordagem do desenvolvimento da mulher francesa, mais fácil e mais prazeroso será o resto da sua vida. Tente transformar seu tempo de exercício em entretenimento; procure atividades e exercícios divertidos, especialmente se você puder fazê-los com amigos. Existem mil passos entre os triatletas e os preguiçosos. É absolutamente imprescindível começar a caminhar pelo menos trinta minutos por dia durante esses anos. Natação e ioga também são atividades maravilhosas, se você tiver inclinação para elas. Mas, de maneira alguma, você não deve deixar de prestar atenção ao tônus muscular e à flexibilidade até o próximo estágio, quando estarão muito mais difíceis de recuperar. Idem para o metabolismo, que, naturalmente, começa a declinar, já começando aos vinte e cinco!

Para as mulheres grávidas, o acúmulo de gordura é natural e tende a ocorrer principalmente nos primeiros meses, a fim de construir reservas no corpo para a amamentação. O risco de problemas de peso depois do parto é muito maior se você estiver ligeiramente acima do peso antes de ficar grávida. Então, antes de começar a organizar um equilíbrio para dois, é uma boa idéia colocar o seu próprio em ordem. Não caia naquela teoria inevitável: "Do que adianta? Daqui a três meses vou estar uma baleia mesmo!"

Amamentar é bom para o bebê, mas também é bom para a mãe, levando as reservas de gordura para o uso planejado da produção de leite. Um mês de amamentação pode fazer milagres em afinar a silhueta, especialmente abaixo da cintura, reduzindo o que chamamos de *culottes de cheval* (culotes de montar a cavalo); perder essas coxas de gravidez é uma verdadeira obsessão entre as francesas. Os esforços da maternidade podem ser um grande auxílio se você souber controlar sensatamente o estresse.

Aqui vão algumas regras para serem seguidas assim que você estiver dirigindo sua própria vida, com ou sem os outros.

- Não se deixe transformar em uma escultura: reaja. Um pouco de disciplina e iniciativa ajudam a ir longe. Agora que pela primeira vez você está fazendo escolhas como um adulto, certifique-se de fazer escolhas adultas. As regras que você violar não são mais as de sua mãe e também não é mais só uma questão de não se deixar pegar.

- Progresso na carreira, casamento e maternidade nesses anos podem ser fatores de estresse. Erros, dúvidas e fracassos são passíveis de acontecer. A melhor defesa é aprender a saborear *les petits bonheurs*, todas as pequenas coisas que fazem cada dia ser um milagre, seja o nascer do sol no seu caminho para o trabalho, um arbusto abrindo-se em flores ou o sorriso inesperado de um estranho. Enfrentando desafios, almeje ser o dono, não o objeto de sua vida; escolha e risco estão interligados; todas as estradas para o sucesso correm através de tal conhecimento. Continue sonhando intensamente (muitas de nós param nesse estágio), mas aproveite o dia também. Como aprendeu a viver, agora vai preparar o palco para o resto da sua vida.

- Fontes de cansaço e tensão vão se multiplicar; combata-as com atividades físicas, e não com coquetéis. Descubra novas formas de se exercitar – ioga, dança, golfe, tênis ou qualquer outro que lhe agrade – mas não negligencie nem as caminhadas, nem subir escadas.
- Cabine de bronzeamento: NÃO! Óculos escuros e filtro solar: SIM! Pense para frente: Melhor pálida hoje do que com botox amanhã.
- Seu metabolismo está tão alto quanto sempre estará; aproveite e não tenha medo de experimentar comidas novas, mas não negligencie as frutas frescas e os legumes da estação.
- Comece a prestar atenção aos ingredientes e ao que está pondo para dentro do seu corpo. Mesmo que não planeje ser uma chefe de cozinha, uma aula de culinária pode ser divertida e muda para melhor a sua relação com a comida.

DOS 35 AOS 55 ANOS

"Não mais velha, porém mais sábia" é um consolo irreal só para aquelas que esperam que seja. As mulheres francesas estão proverbialmente e, de fato, no seu auge nestes anos – nós realmente acreditamos nisso. Você também pode. Se cultivou seu bem-estar, a este ponto está na flor da idade para tirar proveito de toda a experiência e de todo o conhecimento dos seus prazeres, inclusive comida e sexo. Ao mesmo tempo, deve saber que existem agentes provocadores conspirando contra o seu equilíbrio duramente conseguido, inclusive maiores responsabilidades de trabalho e família. Esse talvez seja o tempo de se preocupar com os pais e os filhos. Muito do nosso "tempo livre" acabou-se. Pior ainda: enfrentamos um declínio relativamente rápido no metabolismo. As francesas reconhecem esta época como geradora tanto do sucesso como da derrota, e a grande maioria não se rende.

Uma vez negado o perdão da juventude, você agora tem que encarar o momento em que a falta do verdadeiro compromisso de comer e viver de maneira saudável vai aparecer. Não é a hora para aqueles que oferecem os programas divulgados de dieta em massa. Mesmo que perca peso, vai ganhar rugas e uma aparência esquelética, à medida que os tecidos da pele forem rapidamente perdendo água. E o sono reclama como nunca antes havia reclamado. Lembra-se de quando podia ficar fora a noite toda e ainda ir trabalhar com ótima aparência? Adeus a tudo isso. A falta de sono aparece muito nesse estágio e torna-se o maior contribuinte para o aumento de peso. Daqui por diante, a cada sete anos, seu corpo estará mudando bastante para exigir um relatório e uma revisão nos hábitos. Não espere por aniversários de número redondo, que muitas vezes podem induzir à paralisia e ao trauma justamente quando todos estão prestando atenção. Aos trinta e cinco anos, o metabolismo começa a ir mais devagar e você não pode comer tanto quanto comia aos vinte: é característico; você começa a trocar meio quilo de músculo por meio quilo de gordura por ano. Aos quarenta e dois anos, o nível de hormônio começa a cair até a menopausa, digamos, quarenta e nove, quando começa também a perda séria de densidade óssea. Por esta razão, agora é a hora em que as francesas, eternas caminhantes, também pegam pesos. Treinamento de resistência é a maneira mais segura de reverter a troca de gordura para músculo, que, mais do que tudo, separa os vinte e poucos dos mais velhos. Isso também retarda a perda óssea e reduz a atividade do metabolismo (lembrem: músculos queimam mais calorias do que outros tipos de tecidos, mesmo em repouso). Bem, você não vai querer exagerar como infelizmente Colette fez. Comece com pesos de 2kg ou 3kg e procure fazer os movimentos lentos controlados por seus músculos através de exercícios bem distendidos. Não é o esforço que dá tônus ao seu corpo; o tônus vem de repetições lentamente controladas. Massa muscular vem com pesos mais pesados. Se achar que a academia é uma coisa que pode distraí-la, contrate um personal trainer, pelo menos uma ou duas sessões por semana. Como ainda detesto academias, não tenho conselhos a dar sobre as mais complicadas parafernálias que oferecem. Enquanto você trata da parte superior do corpo com pesos livres, faça abdominais de manhã. Faça-os religiosamente. E para as pernas, não tenho outra palavra: escadas.

Não se deve subestimar o impacto psicologicamente profundo e emocional desses anos, especialmente se eles incluírem traumas comuns como perder pais ou divórcios. É um estágio em que os pensamentos inevitavelmente viram-se também para a nossa própria mortalidade. Ou você torna-se lerda, ou pode aplicar sua desenvolvida conscientização para cultivar prazeres. (Não preciso dizer o que as francesas preferem.) Ter ultrapassado as exigências da juventude por gratificações imediatas vai deixá-la em vantagem para perder peso como uma francesa. Também nessa idade, tendo tentado várias coisas, você já sabe melhor do que ninguém o que lhe dá ou não prazer. Ninguém consegue apreciar tanto as pequenas coisas como alguém que viveu um pouco. Mas não pode esquecer a coluna do débito: as demandas, até mesmo os reversos da fortuna, podem empurrá-la para o degrau zero dos prazeres. Não vá lá. Se não souber enumerar seus prazeres, os riscos são de que tenha se rendido a muitos deles. É hora de começar a cultivá-los.

Para mim, esses anos viram o aparecimento de novos tipos de alimentos. Agora, gosto de nozes de soja, de feijão-soja torrado com uma textura crocante e sabor de noz. Aconteceu também uma ligeira diminuição nas porções e na freqüência de alguns "agressores conhecidos". Reduzi minha dose fixa diária de chocolate para talvez três por semana e também agora como carne vermelha com menos freqüência. Mas, fazendo isso gradualmente, não se sente nada. Foi também durante esses anos que acrescentei algumas vezes por semana mais quinze lances de escada à minha caminhada programada. Para mim, aqueles vinte minutos diários foram a chave da minha estabilidade.

O Dr. Milagre avisava que, se você era saudável aos vinte anos, esse seria mais ou menos o peso que deveria manter pelo resto da sua vida. Aqui, vão os conselhos básicos para realmente tornar esta meta perfeitamente razoável:

- Aumente a ingestão de frutas e legumes em comparação aos outros tipos de comidas, especialmente as gordurosas e as açucaradas, que você deve almejar reduzir de qualquer maneira, se as consome com freqüência. Mesmo quem gosta de doces vai equilibrar-se e condicioná-los lentamente. Pratique "menos é mais" mais agressivamente, evitando calorias sem sentido, guardando-as para os verdadeiros prazeres. Deguste-as atentamente.

- Tente prestar mais atenção aos ritmos da sua vida, diária, semanal e mensalmente. Aporte uma dimensão mental ao seu movimento físico. Estar cônscio reduz o estresse e induz a uma sensação de bem-estar. Pratique mais respiração controlada.
- Carregue água para aonde quer que vá e aumente sua quantidade pelo menos para dois litros por dia.
- Comece a tomar um suplemento vitamínico com a refeição.
- Aprenda a dizer não.
- Crie pequenos períodos de descanso durante o seu dia. (Eu costumava ir a festas e jantares direto do escritório; agora, vou em casa antes, tomo um banho de chuveiro e faço alguns minutos de meditação. Resultado: enfrento a noite com energia renovada.) Dê uma profunda respirada, feche os olhos e tome fôlego.
- Tente encontrar novos interesses. A vida parece cheia de novidades e muitas mulheres dependem demais dos interesses da sua mocidade para acompanhá-las durante seus anos intermediários. As novidades de ontem podem ser a rotina de hoje. Relativamente poucas das suas possíveis atividades ficaram fechadas para você por causa da idade.
- A curiosidade, além de abrir para o prazer, não é propriedade exclusiva dos jovens.
- Sua pele vai ficar mais seca e perder um pouco da sua elasticidade, mas você não precisa de cirurgia nem de terapia de células. Você precisa de muito hidratante e filtro solar, mesmo nos dias em que o sol não está brilhando. Muitas mulheres francesas, inclusive eu, usam sempre óculos escuros ao ar livre. Essa atitude evita rugas finas e intensifica nosso mistério.

Com o aumento das expectativas de vida, este estágio, rejeitado até poucas décadas atrás, é, para muitas, um dos tempos mais vitais de suas vidas. (Antes tarde do que nunca.) Embora não seja raro, o bem-estar é mais frágil nesses anos, quando os problemas de saúde que podem acontecer em uma mulher mais jovem agora têm efeitos mais sérios. Por tal razão, mimar a si mesma é importante. Você deve adquirir uma forma positiva de "egoísmo" que não é auto-absorção, e sim uma atenção mais serena e refinada para com as necessidades, confortos e, agora, limitações do corpo. Depois dos cinqüenta, a maioria das mulheres tem a sorte de reconhecer claramente as coisas com as quais realmente preocupam-se. É uma etapa na vida em que focalizamos essas coisas, melhoramos nossas vidas através da simplificação e tornamo-nos realistas sobre as coisas que podemos dispensar. De certo modo, é quando aprendemos a dizer não, não por autonegação, mas porque sabemos melhor. A mente nunca é uma aliada forte na saúde. Vá com calma. Isso não quer dizer passar o resto da sua vida trabalhando arduamente. É o tempo em que não se deve ser *négligée* (no sentido de negligente, não no sentido de roupa íntima), mas *soignée* (bem cuidada, elegante).

Esse tempo pode ser cheio de prazeres, mas envelhecer graciosamente requer algumas renúncias sensatas. Em uma sociedade obcecada por juventude – sempre foi, mas costumava ser depois dos vinte, não pré-adolescentes –, nem sempre é fácil e requer todos os recursos de autoconhecimento já cultivados. Para qualquer mulher, envelhecer pode representar uma crise, mas aquelas que fazem isso bem são as que vão acabar aceitando isso como natural. Lamentar a juventude é perfeitamente normal, mas alguns, como Hamlet, lamentam demais. A aceitação é agraciada com a percepção de que a vida pode continuar a ser maravilhosamente boa.

A mente bem equilibrada é o que nos salva de mergulhar muito tempo no passado (lamentos e perdas) ou no futuro (não mais ilimitado). Essa mesma mente e os exercícios respiratórios que usamos para regular a alimentação correta ajudam-nos a nos concentrar no momento e a viver de maneira certa. Esses anos devem ser recebidos um dia de cada vez. Cada dia é um bônus, com a aceitação da própria idade e do tempo remanescente como presentes: uma sábia relutância em desperdiçar pequenos momentos de felicidade (aqueles que os jovens geralmente esbanjam), a paz de espírito que vem com a tolerância e a paciência, com menos ressentimento do mundo. Se agir direito, o tempo (que pode parecer inimigo) vai parecer mais uma ilusão.

Fisicamente, a pior ofensa é tentar ser *une vieille qui veut faire jeune* (uma velha mulher que quer bancar a jovem), minissaias, biquínis, maquiagem exagerada. Elas não são desconhecidas na França, onde ocasionalmente as bem preservadas caem na tentação de ostentar isso. Mas não é nada bonito ver uma mulher de 70 anos indo ao mercado de shorts, mesmo que suas pernas sejam maravilhosas. Modéstia é indispensável quanto mais impraticável torna-se esconder a idade de alguém. Neste ponto, ser natural é a melhor vingança. Cirurgia e potes de maquiagens sugerem que a pessoa não está *bien dans sa peau* (não está feliz consigo mesma), o que nós dizemos que é a essência da mística da mulher francesa.

Os franceses, certamente, admitem que há uma mística especial na *femme d'un certain âge* (mulher de certa idade); uma expressão com vários sentidos, inclusive respeito, mas também certa mundanidade e indiretas de sedução. Nossa mídia não tem problema em propalar a sensualidade de Catherine Deneuve e Charlotte Rampling. Aqui, a diferença entre a França e a América é espantosa. Na Europa, os homens acham naturalmente desejáveis mulheres desse grupo de idade, até mesmo sexualmente atraentes, e muitas vezes são vistos virando-se ao redor para olhar uma que está entrando no restaurante. Se ela estiver comendo sozinha, eles são mais capazes de flertar com ela do que de lamentá-la. Isso é inconcebível em Nova York, onde o contato de olhar esvaiu-se como a fumaça dos cigarros.

Se estiver alerta, envelhecer vai presenteá-la com suas próprias instruções de bom senso. Mas aqui vão alguns ajustes a serem considerados.

- Pratique durante toda sua vida uma rotina física de exercícios, e estará em melhor forma para continuar. Mas, se não tiver feito isso, acredite que nunca é tarde demais para começar. E a pequena caminhada, que pode ter parecido um melhoramento trivial ao seu jovem ser, agora pode parecer mais um ritual de afirmação de vida, uma confiável realização diária.

- Examine outra vez sua seleção de comidas e revise novamente, dando preferência a mais frutas e legumes. Coma frutas, especialmente as mais carnudas, no mínimo duas vezes por dia, durante a estação. Tente manter a carne uma vez por semana e o peixe, duas; ovos são ótimos, mas não mais de um por dia; coma lentilhas, legumes verdes, saladas, batatas (evite amassadas e fritas), arroz integral e, *bien sûr* (é claro), um ou dois copos de vinho por dia. Continue comendo iogurte religiosamente.
- Refeições e porções automaticamente tendem a se tornar menores enquanto o corpo mais velho atinge a saciedade mais depressa. Às vezes, o problema não é comer demais, e sim de menos e sofrer deficiências. Quando alguém está comendo carne e peixe, 180 a 200 gramas são suficientes para uma boa nutrição, e até 100 é uma boa quantidade. Use sua pequena balança para recalibrar suas idéias sobre o tamanho das porções. Acrescentar o *goûter* (merenda) à tarde é uma boa idéia. Um simples flan é uma ótima fonte de proteínas e cálcio. Na verdade, você pode querer superar os franceses e considerar cinco refeições, em vez das três de praxe. Como suas papilas gustativas já não são mais tão afiadas, os velhos cansam-se mais rapidamente de suas comidas. Faz mais sentido comer pequenas porções do que forçar uma dieta de comidas mais apropriadas para mulheres jovens, como às vezes acontece.
- Preste atenção em quão rapidamente digere os alimentos. Sobremesas ricas talvez não gostem tanto de você quanto você gosta delas. Reserve-as para ocasiões especiais e coma pequenas porções.
- Hidrate a sua pele de manhã e à noite. Não esqueça suas mãos. Hidrate-as toda vez que lavá-las. (A antiquada loção Vaseline Intensive Care é ótima. Não há necessidade de cremes ultrajantemente caros, com ingredientes geneticamente engendrados). Outra mudança terapêutica notável: acrescente duas colheres (sopa) de óleo de nozes à sua dieta diária. Estudos sugeriram benefícios para disposição, corrente sangüínea e ritmo cardíaco, e também é antiinflamatório. Isto teria interessado aos meus parentes na Provence, que dispensavam consideração a esse material como se fosse uma poção milagrosa. Durante a vida toda, usaram freqüentemente óleo de nozes e óleo de avelãs com parcimônia (eram caros) nas sa-

ladas. E se você ainda não os provou, saiba que ambos têm um sabor maravilhoso.

- Água, água, água! Sei que estou sendo repetitiva, mas, quando alguém experimentou durante 80 anos de vida, hidratação é uma questão de vida ou morte. Quando minha mãe atingiu os 90, seu médico – não o Dr. Milagre, mas outro da mesma escola – lembrou-me que, naquela idade, os dois maiores perigos podiam ser desidratação e perda súbita de peso. *"Je n'ai pas soif"* (não estou com sede) é um refrão comum entre os idosos, mas, seguindo suas instruções, ela esvaziava um copo de água a cada três horas.

12 *Bis*

UM PLANO DE VIDA

Leslie, uma amiga minha de Nova York que amava visitar Paris, recentemente juntou-se a mim para jantar em um luxuoso restaurante ao lado do rio Sena, na Rue des Grands-Augustins. Enquanto bicava sua comida, olhando-me comer toda a minha, contou-me sobre seu almoço naquele dia. Ela e outra amiga americana estiveram fazendo compras até caírem no elegante Faubourg St. Honoré e pararam para almoçar em um moderno e pequeno bistrô na rue Matignon. Duas mulheres tipicamente parisienses, bem vestidas, sentaram-se a uma mesa próxima. A amiga de Leslie disse: "Olhe isso", confiante de que as duas pediriam salada e água mineral, e depois fumariam seus Gauloises durante o resto do almoço. Leslie ficou impressionada quando sua amiga provou estar errada ao ver as senhoras, aparentemente não-fumantes, pedirem antepasto, prato principal e vinho. Mas as americanas ficaram embasbacadas quando, depois disso, as senhoras francesas encomendaram profiteroles de sobremesa, enquanto Leslie e sua amiga estavam pagando a conta do almoço de um só prato. "Oh, bem, é genético", sua amiga falou sarcástica.

Não, não é. E podem ter certeza de que essas duas francesas apreciando tão intensamente os prazeres de uma refeição completa em um dia lindo estavam fazendo isso inteiramente atentas a uma compensação que seria feita naquela mesma noite ou no dia seguinte. *C'est la vie.* (É a vida.)

Com todo o devido respeito a Watson e Crick,* a capacidade de apreciar a comida e não engordar é possível para uma grande maioria não-abençoada com um DNA especial. Na realidade, por esta razão, existem muito menos mulheres naturalmente altas e magras na França do que na Califórnia, no Texas ou na Suécia. A razão de a mulher francesa não engordar não é genética, mas cultural, pois, caso as francesas se sujeitassem como as americanas aos extremos de comer e fazer dieta, o problema de obesidade na França seria muito pior do que o que atingiu a América. Com a nossa constituição relativamente pequena, seríamos uma nação de bolas rolando ao longo dos bulevares e, eu, devido ao meu emprego, estaria na frente!

Existem um "Paradoxo Francês" que se estende muito além da capacidade de apreciar vinho e queijo, ao mesmo tempo em que preserva a saúde do coração. Realmente, como em todos os paradoxos, a contradição é só uma impressão que esconde uma verdade perfeitamente lógica. As francesas não engordam porque não permitiram novas atitudes nem teorias modernas sobre como o corpo usa a comida para rejeitar séculos de experiência. Elas não vêem contradição em comer pão e chocolate, tomar um pouco de vinho e assim por diante e permanecer não só esbeltas, mas também saudáveis. No entanto, compreendem que cada uma de nós é a guardiã do seu próprio equilíbrio e que, quando este escorrega, cada uma tem que estabelecer seu próprio plano de correção baseando-se em preferências pessoais. Normalmente, as francesas não fazem o tipo de deixar uma perda de equilíbrio ficar muito fora de controle. Excesso é tipicamente uma questão de alguns dias, que pode ser corrigido também em alguns dias que se seguem. Se planejar seus prazeres e compensações de comer em uma base semanal, é difícil desgarrar-se muito. Sei que as americanas tendem a ficar derrotadas por negligência: "Oh, bem, estourei a dieta, agora tanto faz." Uma falha básica de lógica. Nós todos somos humanos; nós todos desgarramo-nos e voltamos. As francesas também fazem isso. Simplesmente compreendem melhor do que as outras como fazer retificações.

**Nota da Editora:* Descobridores da estrutura do DNA.

Às vezes, até mesmo as francesas ganham mais peso do que pode ser perdido em uma semana de compensações. Nós também passamos pela puberdade, gravidez e menopausa – todos conhecidos demolidores de equilíbrio. A diferença está em como respondemos a eles. A resposta é nunca faça "dieta" no sentido americano da palavra: é preferível fazer pequenas alterações firmes o tempo todo. Então, quando perdemos o excesso de peso, não só o esforço parece indolor, como os resultados são mais passíveis de durar. Se minhas amigas americanas pudessem adotar nem que fosse uma fração da atitude das francesas sobre a comida e a vida (não se preocupem, não precisam concordar sobre política também), controlar o peso deixaria de ser um terror, uma obsessão, e revelaria sua verdadeira natureza como parte da arte de viver.

Eu não seria honesta se não confessasse conhecer uma ou duas francesas que foram gordas a vida inteira. Tínhamos uma grande amiga de família chamada Yvonne, que se deliciava com comida e vinho mais do que qualquer outra pessoa que eu conhecesse. Era uma animação tanto vicarial quanto real compartilhar uma refeição com ela, o que eu fiz várias vezes antes de sua morte há alguns anos, com 84 anos de idade. Yvonne sabia que não era esbelta, mas suas formas não se desenvolveram por falta de controle. Principalmente depois dos 80, simplesmente aprendeu a tirar um prazer tão genuíno da comida e da bebida, uma tal sensação de vitalidade, que o pagamento de típicas compensações não surgia em sua mente. Não que ela estivesse sempre ganhando peso; ela havia por livre e espontânea vontade estabelecido seu equilíbrio mais alto do que a maioria das mulheres e amava cada dia da sua vida. Era diferente de corpo, mas de espírito não podia ter sido mais francesa.

Minha estratégia com este livro também foi indesculpavelmente francesa. Ensaísta, *bien sûr* (é claro), porém com incremento também. Tentei expor ao leitor, passo a passo, os segredos de por que as francesas, com raras exceções, não engordam. Diferente de um livro sobre dietas, o meu não lhe permite abrir um gráfico codificado e colorido – faça a, b, c, d e comece imediatamente a trabalhar. Na verdade, isto é parte do assunto. Você pode fazer uma leitura dinâmica de *Madame Bovary* entendendo a trama, os personagens e os cenários, mas a única maneira de absorver a natureza do livro é entregando-se à narrativa, entendendo que talvez não tenha visto tudo na primeira tentativa. Desenvolver um programa que vai servir-lhe para a vida inteira não é coisa de um momento. Mudanças de atitudes levam muito mais tempo, mas, quando isso acontece, a tendência é que durem para sempre.

Seria contrário às sensibilidades francesas tentar resumir ou reduzir uma inteira filosofia a um conjunto de discretos princípios. Qualquer desejo real para viver é mais do que a soma das suas partes. Mas sou uma americana também e, sendo uma CEO, tenho uma fraqueza especial por metas e por pontos importantes. Além disso, que livro poderia se dizer francês se, no mínimo, não namorasse a idéia de desconstruir a si mesmo? Então, com uma cuidadosa apreciação pelas escorregadias generalizações, a americana em mim sente-se obrigada a observar que:

- As francesas normalmente pensam em coisas boas para comer. As americanas normalmente preocupam-se com coisas ruins para comer.
- As francesas comem pequenas porções de mais alimentos. As americanas comem grandes porções de menos alimentos.
- As francesas comem mais legumes.
- As francesas comem mais frutas.
- As francesas adoram pão e nunca considerariam viver sem carboidratos.
- As francesas não comem "sem gordura", "sem açúcar" ou qualquer coisa com sabor artificial com faixa de sabor natural. Comem o verdadeiro com moderação.
- As francesas amam chocolate, especialmente o escuro, ligeiramente amargo, lustroso, recheado com aroma de nozes.
- As francesas comem com os cinco sentidos, deixando menos parecer mais.
- As francesas equilibram comida, bebida e movimentos em uma base de semana por semana.
- As francesas desgarram-se, mas sempre voltam, acreditando que existem atalhos, mas nada sem saída.
- As francesas não se pesam seguidamente, preferindo confirmar a perda de peso por meio de suas mãos, olhos e roupas: "síndrome do fecho ecler".

- As francesas comem três refeições por dia.
- As francesas não beliscam o tempo todo.
- As francesas não se permitem sentir fome.
- As francesas nunca se empanzinam.
- As francesas treinam suas papilas gustativas e as dos seus filhos, desde a mais tenra idade.
- As francesas honram os rituais da comida e nunca comem de pé ou correndo. Ou em frente à TV.
- As francesas não assistem muito à TV.
- As francesas não têm muita TV.
- As francesas comem e servem o que está na estação, para ter o máximo de sabor e valor, e sabem que disponibilidade não quer dizer qualidade.
- As francesas amam descobrir novos sabores e estão sempre experimentando ervas, temperos e sucos cítricos, para fazer com que um prato conhecido pareça novo.
- As francesas evitam alimentos em temperaturas extremas, e apreciam frutas e legumes explodindo de sabor na temperatura ambiente, em que também preferem a sua água.
- As francesas não ligam para bebidas fortes.
- As francesas apreciam vinho regularmente, mas com a refeição e só um ou talvez dois copos.
- As francesas sentem um clique com champanhe como aperitivo ou com a refeição e não precisam de uma ocasião especial para abrir uma garrafa.
- As francesas bebem água *o dia inteiro.*
- As francesas escolhem suas próprias indulgências e compensações. Elas entendem que as pequenas coisas contam tanto na soma como na subtração e que, como uma adulta, cada uma é a guardiã do seu próprio equilíbrio.
- As francesas gostam de ir ao mercado.
- As francesas planejam as refeições com antecedência e pensam em termos de menus (uma lista de pequenos pratos), mesmo em casa.
- As francesas acham que jantar em casa é tão sensual como jantar fora.

- As francesas adoram receber em casa.
- As francesas incomodam-se sobremaneira com a apresentação da comida. Sua aparência é importante para elas.
- As francesas caminham sempre que podem.
- As francesas sobem escadas sempre que possível.
- As francesas arrumam-se para levar o lixo para fora (nunca se sabe).
- As francesas são individualmente cabeçudas e não seguem movimentos de massa.
- As francesas adoram moda.
- As francesas sabem que podem ir longe com um bom corte de cabelo, uma garrafa de champanhe e um perfume divino.
- As francesas sabem que *l'amour fait maigrir* (o amor faz emagrecer).
- As francesas evitam qualquer coisa que demande muito esforço para pouco prazer.
- As francesas amam sentar-se em um café e não fazer nada, a não ser aproveitar o momento.
- As francesas adoram rir.
- As francesas comem por prazer.
- As francesas não fazem dieta.
- As francesas não engordam.

No fim, a única coisa que realmente separa as francesas das americanas é a inércia. Porque não existe absolutamente nenhum truque ou hábito que você não possa transformar em seu próprio, com um pouco de bom senso e atenção às suas necessidades individuais, forças e fraquezas – e prazeres.

Aqui está o seu desafio mais difícil. Escreva tudo o que comer esta semana. Não diga para si mesma: "Vou me lembrar, não preciso escrever." A passividade não vai colocá-la no seu rumo. Se puder dar o primeiro passo de regularmente fazer anotações e conhecer o que você está colocando dentro do seu corpo, você já vai se encontrar a caminho.

Muita coragem, boa sorte e bom apetite.

A AUTORA

Nascida e criada na França, Mireille Guiliano foi pela primeira vez para os Estados Unidos como estudante de intercâmbio e retornou definitivamente no começo de sua carreira profissional. É presidente e CEO da Clicquot Inc., em Nova York, e diretora da Champagne Veuve Clicquot em Reims. Casada com um americano, Mireille mora a maior parte do ano em Nova York e faz viagens freqüentes a Paris. Seus passatempos favoritos são café-da-manhã, almoço e jantar.

ÍNDICE

Sistema CTcP,
impressão e acabamento
executados no parque gráfico da
Editora Santuário
www.redemptor.com.br - Aparecida-SP